Q&A

日本経済新聞社 編

証券
100問100答

改定4版

日本経済新聞社

まえがき

米国から始まった金融革命の波は、ひたひたと日本にも押し寄せ、金融、証券を取り巻く環境は激しく変わりつつあります。

個人の金融資産は五百兆円を超え、しかもより高い利回りをめざした金利選好が高まっています。これに呼応する形で続々と金融商品が登場し、銀行と証券が手を組んだ新しい商品の開発も活発です。

企業でも財務のハイテク化＝〝財テク〟といわれるように、大きな変化が起こっています。かつては新たな資金の必要が生じますと、企業は銀行借入れに頼ったものですが、いまや時価発行増資とか転換社債の発行で資金を調達するところが増えています。こうした資金によって銀行借入れを返済し、コストを低くおさえることも一般化してきました。また、手元に余裕資金ができた企業は、債券や株式でそれを運用し、大きな利益をあげています。

一方、取引が実際に行なわれる市場の方をみますと、株式市場では外人取引の比重が拡大し、東京市場とニューヨーク市場との株価の連動性が高まっています。ユーロ円債が解禁され、外国での債券発行は多様化し、その一方では大量の国債をかかえて国内の公社債市場は急速に拡大しています。六十年十月からは債券先物取引も始まりました。

こうした時代にあって、証券についての知識を豊かにすることがますます必要になっています。株

式投資をするにしても、将来、利益の伸びそうな会社を選び、できるだけ市場で人気化する前に買うコツが大事です。債券投資にしても、金融、為替などの情勢を読み、どのような銘柄を選べばよいのか、自分なりに判断する必要があります。

「知恵はカネなり」とはいうものの、ではどうしたら証券についての知識をひろげられるのか、決して容易ではありません。そこでこの本では、株式市場と債券市場の基本的な仕組みや売買についての必要な知識を選び、一〇〇の問いに答える形で解説を試みました。すでに三度改定を重ねていることでもあり、この版では最近、動きが活発な債券についての説明を増やし、前半六〇問を株式、後半四〇問を債券にあてました。各項目とも新しい動きをフォローするとともに、抵当証券、ユーロ円債、ゼロ・クーポン債、債券先物などの新しい動きを加えました。

金融の自由化、国際化が進むということは、半面では個々の投資家の責任が強まるということでもあります。将来の豊かな生活を築くためにも、証券についての知識を豊富にし、新しい動きに即応できるようにしておくのが賢明でしょう。この本がその手がかりになれば幸いです。

昭和六十年十二月

日本経済新聞社

目次

1 株式と株主

2 株式投資

5 信用取引とは

目次

8 起債市場

9　債券投資

1
株式と株主

?1 株式はいつ、どのようにして生まれたのですか

株式会社の起源は一六〇二年に創立されたオランダの東インド会社といわれます。

あなたがもし、いままで誰も思いつかなかったような新しい製品を考案し、これを大量に生産、販売しようと思いたったらどうしますか。機械や工場などの設備を購入したり、営業所をつくったりするのに膨大な資金が必要で、とても兄弟や親類だけの協力では間にあいそうもありません。少しでも多くの人から資金を集める方法を考えるでしょう。株式会社の起源とされ、一六〇二年に創設されたオランダの東インド会社も、考え方は同じです。大きな船を建造し、船員をやとい、航海途中の沈没の危険をおかして東洋で胡椒など特産品を仕入れ、持ち帰って販売し、利益をあげようという構想に、多くの人がおカネを出しあったのです。

しかし、こうして集めたおカネを使い、事業をはじめたものの、大失敗に終わることもあります。一千万円の資金を集めたのに一億円の損が出てしまった時、資金を提供した人が、出資額に応じて全額弁済しなければならないとなったら、二の足を踏むことになるでしょう。このように損金の全額に責任をもつことを無限責任といい、そうした制度をとる合名会社といったものもありますが、これではたくさんのおカネを集めて大規模な事業をすることはむずかしいでしょう。

これに対して株式会社は、おカネを出した人は、その出資額分だけの責任をもてばよいことになっ

ており、これを有限責任制度といいます。株式会社は株式を発行し、これを多くの人に売っておカネを集めます。将来性のある有望なものだと多くの人が判断し、株式を買ってくれれば、大きな資本になるわけです。株式を買って名義を書き換えた人のことを株主といい、新日本製鉄のような巨大企業になると議決権のある単位株の持ち主だけで三十七万人強もおり、その資本金は三千三百十六億円強に達しています。もちろん、株式は単なる紙切れではなく、株主にはさまざまな権利が与えられます。

新株の引受権や配当を受ける権利は一般の株主にとってなじみの深いものですが、これは単位未満の株主にも与えられます。しかし、株主総会に出席して経営者を決めるなど、いわゆる議決権は単位株以上の株主に限られています。

株式会社制度が普及したいま一つの原因は、株式が自由に売買できる点にあります。あなたの事業が成功し、あなたが経営から身を引いて楽隠居したいと考えたら、持っている株式を売却すればいいのです。もし株式を証券取引所に上場していて、高い株価がついていれば、大きな利益を手にすることができます。米国には、そんな経営者も少なくありません。また株式を買った人も、経営方針に不満があったり、急におカネが必要になれば、やはり株式を売却して現金に換えることができるのです。このような株式会社の仕組みが、株式会社制度を四百年近くも支えてきているのです。

わが国で初めて誕生した株式会社は明治六年に設立された第一国立銀行などの国立銀行（民営）だったといわれています。

？2 株式にはどのような種類がありますか

普通株に対して優先株、後配株があり、他に償還株、無議決権株などがあります。

私たちが株式という場合、たいていは普通株式のことを指しています。毎日の新聞の株式欄には、東京証券取引所上場だけでも千四百を超える銘柄の株価が掲載されていますが、日立造船が五十七年に、日本冶金工業が五十九年にそれぞれ発行した優先株を除けば、すべて普通株です。

優先株とは、普通株より優先した権利をもっている株式という意味です。日立造船の場合でその優先ぶりをみてみましょう。同社の場合、一株三百円で一億株を発行し、優先配当金は一株につき十八円（年六％）でした。これには普通株に優先して配当金を払い、さらに会社の業績が悪化して優先配当金が支払えなくなった時も、後日未払い分を普通配当金に優先して支払うという条件がついています。こうした優先株を累積的優先株と呼び、非累積的優先株と区別します。

次に日立造船の優先株には、どんなに利益が出ても優先配当金を超えて配当しないという条件もついています。利益が出て普通株に一定率以上の配当ができる時、普通株と同じ率で利益配当に参加できるのを参加的優先株と呼ぶのに対し、日立造船の優先株は非参加的優先株として分類されます。いずれにしても優先株は、①利益の配当、②残余財産の分配のいずれか、あるいは両方について普通株より優先した権利をもつ株といえます。このほか日立造船の優先株の場合は、普通株に転換すること

のできる転換権がついています。

優先株とちょうど反対なのが後配株です。普通株に対して利益の配当、残余財産の分配を遅れて受ける株式のことです。そんな条件の悪い株式を誰がもつのだろうかとの疑問が起こるのは当然です。しかし、たとえば日本航空の筆頭株主である大蔵大臣、つまり政府の持株がかつてそれだったといえば理解が容易でしょう。政府は航空事業の育成が第一ですから、一般株主が一定率の配当を受けられるようになるまでは配当を辛抱していたわけです。

次に償還株式というものがあります。これは発行した時から利益で消却することが予定されている株式のことです。一時的にまとまった資金が必要な時に発行するもので、一定期間後に消却していけば、会社としては配当負担から免れることができ、株主も投資したおカネがそっくり返ってくるといった安全性が保障されています。優先株に償還の条件がつけられることが多いようです。

また無議決権株式は、読んで字のごとく議決権（経営参加権）をもたない株式のことで、無議決権株もまた優先株に限られます。もっとも優先株に優先配当が行なわれない期間は、議決権が復活することになります。無議決権株式は、会社の総発行済み株式の四分の一を超えて発行することはできません。

なお、増資で発行される新株式は、新株または子株といい、すでに発行されている旧株、親株とは区別されます。これらを区別するのは受け取る配当に差があるためで、旧株が企業の決算期通期分の配当をもらえるのに対し、新株は発行されてから期末までの期間相当分の配当しかもらえません。決算期が次の期に移れば両者の差はなくなり、新株は旧株に併合されます。

?3 額面株と無額面株はどう違うのですか

株券に額面の記載のない無額面株は、株式分割とからめて個人株主を増やす手段として期待されています。

株式には額面株と無額面株がありますが、現在、わが国で流通している株式のほとんどは額面株式です。額面株式とは株券に額面金額の表示があるもので、たとえば五十円額面で千株の株券なら、額面五万円の表示があります。これに対して無額面株の場合は、額面金額の表示がなく、株数だけ記載されることになるわけです。先の例だと株券に千株券と表示されるだけです。

株式はもともと額面株式でスタートしたわけですが、米国で一九一〇年代以降、徐々に無額面株が普及してきました。無額面株が広がってきた理由はいくつか考えられます。一つには株式の価格は業績や配当によって大きく動くわけですが、額面は変わりませんから、株価と額面との間に大きな差が生じてきたことです。さらに、企業が収益をあげて内部蓄積が増えると、純資産が増加し、いわゆる株主勘定が大きくなってきますが、これと額面金額との間にも大きなズレが出てきます。普通、株主持ち分は一株当たり純資産という形で表わされますが、額面とは相当かけ離れた金額になってきます。

つまり、額面金額というのは株主が最初に払い込んだ金額のことで、その後はしだいに意味を失っていくわけです。ただ、わが国では昭和四十年代の半ば過ぎまで額面割当の増資が多く、株価が数百円している会社でも、増資の際の払込み額は一株について五十円というケースがほとんどでした。こ

のため、株主の側でも企業の側でも額面の意識が抜けなかったわけですが、四十年代後半から時価発行増資が普及し、しだいに額面の意味も薄れてきました。かつては配当率といういい方が普通で、配当も額面金額に対して何%と表示されてきました。利益も資本金利益率で表わされ、額面の何割何分の利益をあげたかが収益力をはかるモノサシになっていました。それがしだいに一株当たりの利益、一株当たりの配当という考え方に変わり、わが国でも徐々に無額面化への下地ができてきたわけです。

こうした折りに、五十七年十月から商法が改正され、無額面化を進めやすくなりました。新商法では、取締役会の決議だけで発行済みの株式を無額面株に換えることができるようになり、セブン－イレブンジャパンや学習研究社、サンリオ、すかいらーくが無額面株に移行しています。無額面化に進む理由としていまのところ、株式分割を行ないやすいというのがいちばん多いようです。額面株式の場合でも株式分割はできるのですが、五十円額面株式一株を二株に分割するには、額面を二十五円に変更しなければなりません。それには株主総会を開いて定款を変更する必要があり、手続き面でも大変です。無額面株にすれば、もちろんこうした問題は生じません。

ただ、税法上の問題から無額面株を額面株に戻す動きも出ています。五十円額面の場合は年間二十万株以上でかつ五十回以上の売買には税金がかかります。ところが、五十円額面を無額面にした場合、計算上、この課税基準のワクが大きくなるケースも生じます。京セラは五十九年八月に無額面株から額面株へ戻しました。商法改正で無額面化を促進しようとしたのに税法上の不備でブレーキがかかったわけで、今後に問題を残しています。

?4 証券取引所の組織や役割はどのようなものですか

現在、日本には八つの証券取引所があり、会員の証券会社が株式や債券を取引しています。

会社は株式や社債を発行して、広く一般の人々から必要な長期資金を集めています。また国や地方自治体などの公共機関も、同じように国債や地方債を発行しています。しかし、これを買う人々はいつまでもその株式や債券をもっていられるとは限りません。

たとえばAさんはボーナスで東京電力の株式を買いました。ところがその後、急に念願のマイホームが割安な価格で手に入る話がもちあがりました。もしこの時、株式の流通市場がなかったら、Aさんは希望する値段で株式を買ってくれる相手を、自分自身で探し回らなければならないでしょう。うまくその相手がみつかるかどうかもわかりません。念願のマイホームを目前にして、手もちの現金が足りないために、みすみす見逃すことになってしまったかもしれません。もちろん実際には、Aさんはこの株式を証券会社を通じて売却し、マイホーム資金の一部に充てることができます。

このように投資家の間の有価証券の売買を、証券会社が仲介して行なう市場を流通市場といいますが、この流通市場の中心になっているのが証券取引所です。証券取引所は、法律に基づいて大蔵大臣の免許を受けて設立されたもので、その仕事は、証券会社のために市場を提供するとともに、有価証券の売りと買いの注文をその市場に集中し、売買を円滑に行なうことです。また一般の投資家が不公

正な売買価格により不当な損失をこうむらないように、見守ることも仕事の一つです。そうした意味では、投資家の利益を保護するという公共性を要求されているともいえるでしょう。

現在、日本には八つの証券取引所があります。北から札幌、新潟、東京、名古屋、京都、大阪、広島、福岡の八つですが、その市場の規模では東京証券取引所が群を抜いてトップです。一例として五十九年の年間の売買株数をみると、東京が一千三十七億株、大阪が百六十二億株、名古屋が三十三億株で、残りの五市場は合計してもわずか十億株ほどです。東京のシェア（占有率）は四十九年（年間）の七八・四％から、五十年（同）八二・六％、五十四年（同）八四・九％、五十九年（同）八三・四％となっており、株式売買の東京集中、地方証券取引所の地盤沈下という傾向が続いているといえるでしょう。

日本の証券取引所は、明治十一年に東京株式取引所が株式会社組織で発足したのがはじまりです。戦後二十四年に再開された現在の東京証券取引所（東証）は、証券会社を会員とした会員組織になっています。東証の市場で売買ができるのはこの会員だけです。ですから一般の個人はもちろん、銀行や事業会社、それに会員でない証券会社は直接市場では売買できず、会員の証券会社に注文を出すことになります。東証の会員の数は長い間八十三社でしたが、外国証券会社の強い希望もあり、六十年十月に十社、枠が拡大されました。このほか売買の仲立ちを専業とする「才取会員」が五十九年十月の合併で四社あります。東証第一部の立会場の広さは千六百平方メートルもあります。このなかで千人あまりの人々が、独特の手サインを駆使しながら売買を成立させるために働いています。また二部銘柄と、一部でも商いの少ないものについては、コンピューターシステムで売買しています。

?5 一部上場、二部上場の違いはどこにあるのですか

資本金、株主数、売買高などによって分けるもので、企業の優劣とは関係ありません。

ある上場会社が第二部から第一部へ指定替えになった時、その会社の社長さんの「ようやく第一部に昇格できました」というような談話が新聞に載ったりします。しかし第一部と第二部上場会社とで、会社の優劣といった差はまったくありません。「第一部に上場しているから優良企業で、第二部なら不良会社」ということではないのです。ただ、上場会社とひとくちにいっても、食品会社から繊維会社、建設会社と各種の会社があるように、会社の大きさもまた千差万別です。

たとえば、日立製作所の資本金は約千四百億円、同じ電機メーカーで、アンテナをつくっている横尾製作所という会社がありますが、こちらの資本金は五億円、日立の約二百八十分の一です。資本金の大きい会社は当然株式の発行数が多く、日立の場合は二十八億株もあり、横尾製作所の場合は一千万株に過ぎません。同じ上場会社でも株式の流通量には大きな差があります。

市場第一部と第二部の違いは、基本的にはこうした株式の流通量の多少によって区別されます。具体的には上場株式数、株主数、売買高によって第一部と第二部に分けられています。まず上場株式数でいうと、第二部銘柄は東京証券取引所の場合、東京周辺の会社は六百万株以上ですが、第一部になるには二千万株以上が必要です。ですから、先ほどの横尾製作所は第二部となります。

上場株式数が二千万株以上あっても、それだけでは第一部には上場できません。たとえば、あるオーナー会社があります。その社長さんは自分でその会社をつくった人ですから、当然自分の会社の株をたくさん持っています。そして残りの株も取引先の銀行に持ってもらったとします。社長さんも銀行も、その会社の株を売るつもりはありません。すると、上場しても株式の売買はほとんど行なわれず、新しい株主も生まれません。これでは株式を一般に公開する意味がありません。

上場している以上は、誰でもその株を自由に買ったり売ったりできる必要があり、たとえ上場株式数が二千万株を超えていても、こうした流通しやすい株式が一定量以上ないと、第一部には上場しない仕組みになっています。それが株式の分布状況に関する基準と売買高基準です。

株式の分布状況に関する基準では、第一部、第二部とも上場株式数に応じて必要な株主数が細かく決められています。ただ、第二部は千人が最低の基準となっていますが、第一部の場合は少なくとも三千人必要となっています。売買高も最近一年間で月平均二十万株以上ないと第一部になれないなど取引量が多いことも条件になっています。

第二部上場銘柄は外国株と同様に現物取引しかできませんが、第一部の場合は原則としてどの銘柄でも信用取引ができます。ただ実際に信用取引が行なわれているのは、貸借銘柄だけといっていいでしょう。

?6 指定銘柄とは何ですか

五十三年十月から導入された新制度で、取引条件にいくつかの特例が認められています。

昭和五十三年十月二日から、東京証券取引所をはじめ全国証券取引所で新たに指定銘柄制度が導入されました。この新制度は、株式市場の流通機能と株価形成に厚みを増すことをねらいとして、それまでの特定銘柄に代わって採用されたものです。

指定銘柄には、売買の活発化を促すために、一般の信用取引銘柄とは違ういくつかの取引条件があります。投資家が信用取引を使ってカラ売り、カラ買いをして決済（反対売買）するまでの期間を弁済繰延期間といいますが、ふつうの信用取引の場合この期間が六カ月なのに対し、指定銘柄の場合は三カ月に短縮しています。売買の申込単位も一般の銘柄は千株からなのに対し、指定銘柄の場合は五千株以上で千株きざみになっています。

また指定銘柄を利用する投資家には、いくつかの優遇措置がとられています。第一が弁済手数料の軽減です。信用取引を利用して株式を買った（または売った）場合、一般の銘柄は現金取引と同様に往復の手数料は同じです。ところが指定銘柄制度では、この反対売買の際の弁済手数料を現行の六〇％に割り引いています。また第二に売り方日歩の優遇があります。信用取引を利用して株式を売った場合、売り方は株式の貸し賃として売り方日歩を受け取ります。この水準は金利情勢によって変化し

ますが、六十年九月現在年換算で三・七五％です。ところが指定銘柄の場合、これに一・七五ポイント上乗せして売り方日歩は五・五〇％となります。売り方日歩を高くすることで機関投資家などのヘッジのためのつなぎ売りを誘い、売買に厚みを増そうというのがねらいです。こうした投資家に対する優遇措置は、売買の申込単位五千株以上、弁済期間三カ月という取引条件を認めた場合に行なわれますが、投資家が希望すれば、従来どおりの条件で信用取引を行なうことも可能です。

指定銘柄には、いずれも各業界を代表する優良企業が選ばれています。これは「指定銘柄の値動きが相場全体の指標的な役割を果たすように」とのねらいを反映したものです。東京証券取引所では現在、平和不動産、東レ、旭化成工業、日本石油、住友電気工業、日本電気、松下電器産業、三菱重工業、トヨタ自動車、三井物産、東京海上火災保険、日本郵船の十二銘柄を指定銘柄に採用しています。この銘柄は市場の人気や出来高などを考慮して洗直しを行ない、指定銘柄にふさわしい銘柄を選定するよう努めています。五十五年十月から、鹿島建設、キリンビール、三越に代わって東レ、日本電気、三菱重工業が、さらに五十九十二月から武田薬品工業、富士写真フイルムに代わって旭化成工業、住友電気工業が新しく指定銘柄となりました。東京証券取引所以外の七証券取引所でも指定銘柄制度を採用していますが、大阪の場合、大和ハウス工業、グンゼ、武田薬品工業、日本板硝子、ダイフク、三洋電機、松下寿電子工業といったように、独自の銘柄を採用しているところも少なくありません。

指定銘柄のうち、東京証券取引所では平和不、東京海上、日石、松下、三井物、郵船の六銘柄については、従来の特定銘柄と同様に、セリ方式によるゲキタク売買を行なってきましたが、五十七年末でこの制度は廃止となりました。

?7 現在、株式を取引所に上場している会社はどのくらいありますか

全国八つの取引所を合計して千八百七社（六十年六月現在）です。

「株式会社のつくり方」といった本があるように、株式会社は比較的簡単につくることができます。名前だけで実際には何の活動もしていない休眠会社といわれるようなものも少なくありません。このため正確な統計はありませんが、いま全国にある株式会社は百三十万とも百五十万ともいわれていま す。このうち全国の証券取引所に上場している会社は、六十年六月時点で千八百七社ですから、上場しているような会社は株式会社のなかでもエリートということになります。

もちろん、大会社のなかにもサントリー、竹中工務店、ヤンマー・ディーゼル工業など、誰でもその名前を知っている会社で上場していないところもあります。しかしこの三社は「非上場御三家」と呼ばれるほど例外的な存在で、ほとんどの中堅企業の経営者にとって、証券取引所への上場、すなわち株式を公開するということは大きな目標となっています。

株式を上場することが、なぜそんなに意味があるのでしょう。取引所に上場するにはきびしい経営内容のチェックを受けるとともに、資本金などで一定の規模に達していなければなりません。上場すれば、それだけで一流会社というお墨付きを得たことにもなり、社会的な信用が高まります。銀行からおカネを借りる場合も、上場会社であるのとないのとでは金利も違ってきます。従業員を募集する

にも、上場していれば大きな会社だということで有利になることもあります。また株式を上場していると、高い株価を利用して大量の資金を集めるチャンスもあるわけです。

現在、証券取引所は東京、大阪、名古屋など八カ所にあります。このそれぞれに企業が上場しているわけで、このうち東京証券取引所に上場している会社が千四百五十九社（うち第一部千四十四社、第二部四百十五社）です。もちろん会社によっては東京証券取引所だけに上場しているところもありますが、新日本製鉄のようなわが国の代表的な企業はこれら八市場全部に上場しています。

いま東京証券取引所だけに限って上場会社数の推移をみると、戦後取引所を再開した二十四年には五百二十九社でした。その後、三十六年になって第二部市場が開設されるまでは六百社前後の水準を維持、三十六年に一気に千七社と千台を突破しています。新規上場会社の数は、三十六年の四百十一社は例外としても、三十七年、三十八年は各百八十八社、百十社と、ちょっとした上場ブームをみせました。その後四十年不況をへて日本経済が再び高度成長を取り戻し、四十五年から四十八年にかけて毎年四十ないし五十社が新規上場し、第二次上場ブームとなりました。しかし、石油ショック以降は四十九年二十二社、五十年十五社、五十一年八社と、新規上場会社は減少ないし横ばいの傾向をみせ日本経済が安定成長時代に入ったことを裏づける形になっています。

ただ、最近はベンチャーブームを反映し、五十七年以降、再び増加傾向を示しています。

?8 上場が廃止されるのはどのような会社ですか

会社が倒産した場合や吸収合併された場合のほか、売買高などが基準に達しない場合などです。

世の中が不景気になると、大きな企業でも倒産することがあります。最近では大沢商会、リッカー、三光汽船などがあります。三光汽船は第一部上場会社でしたが、会社更生法申請とともに上場廃止になりました。上場会社が倒産すれば上場廃止になりますが、倒産が確定しなくても、たとえば手形が不渡りとなり、銀行取引が停止になったり、会社更生法や和議法の適用を裁判所に申請した時点で、上場は廃止となります。

また、上場会社が営業活動を停止しても上場廃止になります。ある会社が他の会社に吸収合併された場合にこうしたケースが起こりますが、最近では京セラに合併されたヤシカ、伊藤忠商事に吸収された安宅産業などがこれにあたります。

そのほか、会社の業績内容をごまかすいわゆる〝粉飾決算〟も上場廃止の対象で、不二サッシ工業、不二サッシ販売や大光相互銀行などに適用されました。上場会社が勝手に自分の会社の株式売買を制限した場合も上場廃止となります。倒産しなくても、長期にわたって業績が悪化し、配当のできない会社も上場企業としては失格で、「最近五年間無配、そのうえ最近三年間債務超過の会社」は上場廃止となります。債務超過というのは、業績悪化で大幅赤字が出て、その赤字額が資本金、法定準

備金、剰余金など自己資金の合計額を上回り、資本勘定がマイナスになることです。つまり、その企業の資産はすべて借金など他人資本でまかなわれ、きわめて経営が危険な状態にあることを示します。製糖会社にその例がみうけられます。

以上が代表的な上場廃止の例ですが、上場株式数や株式の分布状況が一定の基準を満たしていない場合、それに売買高によっても上場廃止になることがあります。たとえば上場株式数が六百万株未満、あるいは大株主上位十名の持ち株比率が上場株式数の七〇%を超えた会社といった具合です。また、株主数や売買高についても細かい基準が設けられています。仕手筋などの買占めによって株主数が不足し、上場維持のために株主数を増やす必要に迫られている企業も少なくありません。

上場廃止が決まると、その会社の株式売買は一般の取引とは別に「整理ポスト」に移されます。整理ポストとは、いわば〝終戦処理場〟で、原則として三カ月間株式の売買ができ、その後〝名実〟ともに廃止となります。整理ポストで売買するのは、上場会社としては失格でも、たとえば会社更生法を申請した会社は、裁判所の判定を受けるまでは株式会社であることに変わりなく、株式は存在するからです。整理ポストとは別に一般の売買とは区別される「監理ポスト」というものがあります。いわば〝問題児収容所〟といったところです。たとえば粉飾決算会社は、その内容が解明されるまで監理ポストに移されて売買されます。そしてもし決算の内容が商法に違反したと判定されれば、その時点で株式の売買は打ち切られます。

?9 店頭株とはどういうものですか

取引所に上場されず、証券会社の店頭で取引される株のことです。

株券の売買にはいろいろな方法がありますが、最も通常な形態は、東京証券取引所など全国の取引所を経由して行なわれる売買です。これに対し取引所を経ず、証券会社の店頭で未上場株を売買する方法もあります。前者を取引所取引（市場取引）、後者を店頭取引と呼びます。

取引所で取引される株券は上場された株式だけで、これらはディスクロージャー（企業内容の公開）も徹底されており、一般投資家が安心して買える銘柄だけが対象となっています。これに対して店頭株は、取引所上場株に比べるとディスクロージャーに対する義務はさほどきびしくありません。しかし日本証券業協会は、商いが比較的まとまっており、信頼のおける銘柄を店頭登録株として認める方式をとっています。店頭登録株には上場株と同じように経理、財務内容の公開など、さまざまな条件をつけています。六十年八月末現在、店頭株は店頭管理銘柄を含めると東京地区で百二十二銘柄、大阪地区で二十三銘柄、名古屋地区で三銘柄あります。重複を除くと全体で百三十八銘柄です。

かつて店頭株は投資家の関心が薄かったのですが、ここにきて大きな注目を集めています。将来性のある中堅企業に資金調達の道を開くとともに、投資家に魅力ある投資対象を提供することを目的に、昭和五十八年十一月に店頭市場の抜本的な改革が行なわれました。従来、店頭株には禁じられて

いたさまざまな制約が取り除かれ、①公募時価発行増資、②証券会社の自己売買、③証券会社による顧客への投資勧誘――が原則として認められました。また、店頭株の売買を円滑にするため、米国の店頭市場にならって日本でもマーケットメーカー（特定の銘柄について売りと買いの気配を出すことを義務づけられる証券会社）制度が導入され、原則として一銘柄に二社以上の「登録銘柄ディーラー」（マーケットメーカーのこと、略称ＴＤ）がつくことになりました。

特に五十九年七月からは市況情報センター（ＱＵＩＣＫ）による「店頭気配自動伝達システム」が稼働し、コンピューターシステムを使ってそれぞれのＴＤが銘柄別にいくらの売り、買いの気配値を出しているかが一目でわかるようになり、店頭株取引が一段と活発になってきました。これまで店頭株はいくらで売り買いできるか簡単にはわからなかったが、このシステムの稼働により店頭株の株価情報がリアルタイムで伝達されるようになった意味は大きいといえましょう。事実、店頭株の売買量は大幅に増え始めています。米国ではナスダック（店頭銘柄気配自動通報システム）を利用した店頭市場はニューヨーク証券取引所の売買高に迫るほどの規模に達しています。それに比べれば日本の店頭市場はまだ規模も小さいが、今後大きな飛躍が期待される市場といえます。

一方、中堅企業の間でも店頭市場への関心が高まっています。店頭市場での資金調達、企業イメージの向上、取引所上場への第一ステップなど理由はさまざまですが、店頭市場が改革されて以降エステー化学、サンコー、マブチモーターなど有力企業が続々と店頭市場に登録しはじめました。

ただ、店頭登録企業は上場企業に比べ規模が小さく、経営基盤が固まっていない企業が少なくありません。店頭株への投資には特に自分自身の判断と責任のもとに投資する態度が求められています。

?10 海外の株式市場にはどのようなところがありますか

ニューヨーク市場が世界最大で、その時価総額は東京の二・三倍にも達します。

海外の株式市場といえば、まずニューヨーク市場が頭に浮かびます。ニューヨークといえば、米国経済の中心地であるばかりでなく、世界経済の中心地でもあるわけですから、当然といえば当然でしょう。そのニューヨーク株式取引所には、米国の有力企業であるIBM、GM（ゼネラル・モータース）、GE（ゼネラル・エレクトリック）、USスチールなど、千五百四十三社が上場しています。また外国企業にも広く門戸を開放しており、日本企業でもソニー、松下電器産業、パイオニア、久保田鉄工、本田技研工業、京セラ、日立製作所、TDKの八社が上場しており、まさに株式取引所の〝メッカ〟ともいえます。

ざっとその市場規模を東京市場と比較してみると、ニューヨーク市場の時価総額は円換算で三百八十兆円と、日本の二・三倍以上に達しています。会員証券会社数にしても、東京証券取引所が九十三社であるのに対し、その六・七倍の六百二十八社を数えます。もっとも、ニューヨーク市場も機関投資家中心の株式市場に陥って、一般投資家が市場に参加できないといった構造的な問題も出てきているようです。

次に、英国をみてみましょう。英国は戦前から国際金融の中心地であり、各地に株式取引所が分散

していましたが、一九七三年にこれを一つに合併、ロンドンに統合証券取引所（The Stock Exchange）が発足しました。上場基準がゆるやかなこともあって、現在、二千七百五十三社の株式が上場されていますが、このうち海外企業が五百八十二社を占めています。このため、「国際情勢を敏感に反映する市場」として専門家の間では注目されています。ロンドン株全体の動きを示すものに、フィナンシャル・タイムズ指数（FT指数）がよく使われます。

このほか、ヨーロッパ大陸では西独のフランクフルト、フランスのパリ、オランダのアムステルダム、スイスのチューリヒ、イタリアのミラノなどが株式取引の中心地として知られています。上場銘柄ではパリが六百八十三社、アムステルダムが五百六十三社、フランクフルトが三百七十社、チューリヒが二百九十六社などで、ロンドン、ニューヨーク、東京には及びません。

「対外証券投資の自由化」が叫ばれるなかで、日本の投資家が海外市場で活躍する場も徐々に拡大してきました。特に一九七七年六月以降は、それまでのOECD加盟十三カ国、十五市場に加えて、香港、遠東交易所（以上香港）、クアラルンプール（マレーシア）、シンガポール（シンガポール）、マニラ、マカチ（フィリピン）、パシフィック、NASDAQ（米国）の八市場が加えられました。発展途上国や経済的に交流の少ない国の株式市場にも、日本にはない珍しい銘柄もありますが、一方で株価情報が少ないという問題点も残されており、日本の投資家がドッと買い出動するといった動きはいまのところありません。

？11 ＡＤＲ、ＥＤＲとは何ですか

米国や欧州で発行される預託証券で、これにより海外での資金調達が可能になります。

「ＤＲ」というのは Depositary Receipts の略で、日本語に訳せば「預託証券」ということです。それに「Ａ」とか「Ｅ」がついているわけですが、「Ａ」というのは American、「Ｅ」というのは European のこと、つまり、ＡＤＲは American Depositary Receipts（米国預託証券）、ＥＤＲは European Depositary Receipts（欧州預託証券）ということです。しかし、預託証券といってもあまり耳慣れない言葉でしょうから、その仕組みを具体的に説明しましょう。

まずＡＤＲですが、これは米国の証券市場において、外国株を流通させるために、外国の発行会社がその原株式をその国の銀行（副受託機関）に預けておき、これと見返りに米国の銀行（受託機関）が発行する代替証券のことです。米国市場で外国の原株券を直接取引することは、地理的に離れているため、受渡しが困難であるばかりでなく、様式、取引の慣習、制度の違いなど、いろいろの障害があります。この隘路を解消するためにあみだされた方法というわけです。

わが国では、昭和三十五年六月から外資導入が緩和されましたが、そのころから外国人の日本株に対する関心も高まってきました。一方、ＡＤＲの発行によって外国人の日本株投資の増加も期待できるだけでなく、海外における日本企業のＰＲ、米国市場における製品の販売においても好影響を与え

るといった発行企業の要請もあって、大蔵省は三十六年はじめ、ＡＤＲの発行を認めることになりました。これを受けて三十六年六月、ソニーがわが国のＡＤＲ第一号を二百万株ほど発行しました。

ところで、ＡＤＲには二つの方式があります。まず新株を米国市場で新しく発行して、これをＡＤＲにして募集するもの（Ｓ―１方式）、もう一つは、すでに流通している原株をまとめて、ＡＤＲの形にして流通させるもの（Ｓ―12方式）です。Ｓ―１方式は、発行企業が米国市場で資金調達するわけですから、ＳＥＣ（米国証券取引委員会）への登録申請も複雑です。これに対してＳ―12方式は簡単です。ソニーの場合はＳ―１方式のＡＤＲです。

ＡＤＲを発行している企業は英国、西独、日本などが多く、日本ではソニーに続いて東芝、本田技研工業、日本電気などが発行し、その後、松下電器産業、富士写真フイルム、トヨタ自動車、東京海上火災、日立製作所などが登場しました。五十七年三月末には日立製作所が五千万株と久々の大量発行に踏み切りました。

一方、ＥＤＲ（欧州預託証券）は、ＡＤＲが米国で発行されているのに対して、ヨーロッパで発行される預託証券で、仕組みはＡＤＲと基本的に同じです。海外での日本株式に対する高い評価を反映して、オイルマネーが日本企業のＥＤＲを一括して購入するケースもありました。

ＥＤＲの発行はここ一、二年、極めて少なくなっており、五十九年度の発行額はＥＤＲのみで八千四百万ドルと五十八年度に比べ約四分の一に激減しました。件数もわずか二件でした。

? 12

株主の構造はどうなっていますか

株主は個人、法人、政府等に分けられますが、わが国では法人の比率の高いのが目立ちます。

どんな人でも株を買ったり売ったりできますから、ひとくちに株主といってもいろいろな株主がいます。一般に投資家というと、サラリーマンや主婦など個人投資家を思い浮かべますが、こうした個人投資家の資金を集めて株を売買している投資信託会社も株主です。銀行など金融機関も取引上、会社の株を保有していますし、当の会社も他社の株を買えますから、株主になります。このように株主は大きく分けて、個人と事業会社、銀行、生命保険会社、さらに証券会社などの法人に分けられます。

株主構成は会社によってまちまちです。たとえば、東京電力の個人株主は三十七万人もいます。株主の数では全体の九九%も占めていますし、株数全体でも三二%に達しています。株主構成は世の中の動き、経済環境によって変動します。日本経済が高度成長に入った四十三年ごろには、日本企業の好業績に目をつけた海外の投資家が盛んに日本の株を買いました。四十六年には、外人の持株が全体の三・六%にまで達したこともあります。それが石油ショック後は減少しましたが、最近は欧米の機関投資家の資金流入などにより再び増加し、五十八年には六・三%まで上昇しました。

四十六年から四十八年にかけて〝法人の株持合い〟現象が起こり、法人株主がかなり増えました。

当時はいわゆる〝過剰流動性〟の時代といわれ、企業は余剰資金をたくさん持っていました。その使い道として土地だけではなく多くの企業が株を買いました。その結果、四十五年当時、事業会社と銀行など金融機関を合わせた持株は全体の五四％だったのが、四十八年には六一％にもなりました。その後も法人持株比率は上昇傾向ですが、最近では特定金銭信託を利用した純投資が増えており、法人持株が必ずしも安定しているとはいい切れなくなっています。

これに対し、個人株主は押され気味です。個人株主数、株数は増えているのですが、全体に占める割合は戦後一貫して低下傾向にあります。昭和二十五年には全体の六一％だったのが、三十三年に五割を切り、五十一年には三二％、五十五年には二九・三％と危機ラインといわれる三〇％台を割り込んでしまいました。五十九年は二六・三％まで下がっています。個人株主比率の減少についてはいろいろ原因がありますが、やはり四十七年以降の過剰流動性が拍車をかけたといえるでしょう。銀行や企業が株式投資の基本的なモノサシである利回りを無視してまで株を買ったため、個人投資家が株式市場に参加しにくくなったからです。

それにしても、外国の個人株主比率と比べると、日本の場合ははるかに低いといえます。ちょっと古い数字ですが、米国のＦＲＢ（連邦準備制度理事会）の統計によると、米国の個人持株比率は一九八二年で七一・七％になっています。十年前に比べ三ポイントほど下がっていますが、それでも日本より高水準です。米国の場合、銀行が事業会社の株を持ったり、事業会社が互いに株を持ち合うということはまれで、やはり経済環境の違いといえるでしょう。

? 13 機関投資家とは何ですか

証券投資を主要な業務としている法人で、金融機関、保険会社、投資信託などが代表的です。

株式市場には、いろいろな投資家が参加しています。東京証券取引所によると、最もひんぱんに売買に参加しているのは個人ですが、それ以外に事業会社、証券会社、外人投資家、保険会社、銀行などの金融機関、投資信託、その他の法人などが活発に売買を行なっています。このうち、銀行などの金融機関（都市銀行、地方銀行、信託銀行、相互銀行、信用金庫、農林系金融機関など）や生命保険・損害保険会社、投資信託などがわが国では機関投資家と呼ばれています。

機関投資家とは、証券投資を主要な業務の一つとしている法人を指します。その意味では生命保険や投資信託は、わが国での代表的な機関投資家といえます。ここでは株式に絞り、機関投資家の動きを説明しましょう。多くの生命保険会社には、「財務部」や「証券部」と呼ばれる部門があり、ここが株式の売買を担当しています。財務部では、自分の会社の貸出し以外の資金（余裕資金と呼ぶ）を管理し、この資金で株式を買ったり、他に資金が必要な時や値上がりの利益を確保したい時に、保有している株式を売ったりしています。

このため、財務部は、証券会社と常に連絡をとり、株価に関する情報や一般経済情勢の見通しなどについて意見を交換しています。また独自の調査や情報収集によって、株式の売買のタイミングを検

討しています。

こうした機関投資家の株式保有高は五十九年度（全国証券取引所協議会調べ）で銀行・信託銀行が三十一兆九千億円、生命保険会社が二十二兆八百億円、損害保険会社が七兆五千五百億円などとなっています。上場会社の全株式のうち銀行・信託銀行が保有する割合は一七・四％に達し、生命保険会社も一二・一％になります。ただ銀行などの持株の主体は、グループでの持合いなどです。最近は運用益をねらった保有も増えており、株式市場での売り買いが活発化しています。生命保険会社は以前から運用益を目的とした投資を行なっており、市場でその動向が注目されることもあります。

その意味で株式市場における最も代表的な機関投資家といえば、やはり投資信託でしょう。六十年六月末での株式保有額は二兆九千二百九億円で、株式投信の純資産（九兆一千五十六億円）の三二・一％を株式で運用しています。銀行などに比べて保有株数は少ないのですが、売り買いの頻度が高く、株式市場に与える影響力は非常に大きいといえます。このため株価を予測する場合、投資信託がどのような運用態度に出るかは重要なポイントです。株価の上げ下げだけでなく、人気業種・銘柄にも影響を与えます。投資信託は、一般の投資家からおカネを集めて、その資金で証券投資を行なっており、投資信託の資金運用担当者の責任は、他の機関投資家と比べてはるかに大きいものとなっています。

ここへきて年金信託の株式保有増加も目立ちます。六十年三月末の株式保有額は一兆円弱となっています。全体に占めるウエートは〇・五％に過ぎませんが、今後拡大が見込まれています。

? 14

外国の法人や個人はわが国の株をどのくらい持っていますか

法人、個人合わせて、総発行株式数の六・〇%(六十年三月末)を持っています。

「欧米の年金基金が買い出動している」――五十五年以降五十八年までの日本の株式市場は空前の外人投資ブームに湧き、日経平均株価（当時の日経ダウ）が一万円大台に乗せる原動力となりました。五十九年に入ってからは企業が海外で発行した転換社債の株式への転換が進み、その売りがかさんだこともあって売越しとなりましたが、今後とも外人投資の動向が株価に大きな影響を与えるとみられます。

それでは外人投資家は日本株をどのくらい持っているのでしょうか。全国証券取引所協議会が全上場会社千八百六社（総発行株式二千五百八十二億株）について調査した株式分布状況（六十年三月）によると、外国法人が百五十五億六百万株（総発行株式の六・〇%）、外国人の個人が一億一千九百万株（同〇・〇四%）を持っています。一方、日本株を持っている外国人株主数は全上場会社の総株主数（延べ人数）二千五十五万一千人のうち、法人八万二千九百九人（総株主数の〇・四%）、個人一万七千五百六十九人（同〇・〇八%）となっています。

次に外人投資家が日本のどんな業種、どんな会社の株式を多く持っているのかをみてみましょう。全上場会社について五十八年三月末時点で全国証券取引所協議会が調べたところでは、業種別で外国

法人の持株比率がいちばん高いのは精密機器（三十四社）の一八・五％で、このほか石油・石炭製品（十二社）の一七・〇％、電気機器（百六十六社）の一五・三％が目立っています。外国人の持株数がいちばん多いのは日立製作所の七億一千九百六十五万株（持株比率二五・六％）、次いで新日本製鉄、東芝、松下電器産業となっています。

外国人（法人も含む）が日本株を本格的に買いだしたのは、昭和三十九年四月に日本がＩＭＦ（国際通貨基金）の八条国に移行し、開放経済体制となってからです。つまり、四十二年七月の第一次資本自由化から、四十八年六月の第五次資本自由化で、一外国人の株式取得限度は、一企業の発行済み株式の一〇％未満まで自動的に認められ、外国人全体の持株比率は一部例外業種を除き、取締役会の同意さえあれば、一〇〇％まで持つことが可能になりました。

ただ、この第五次資本自由化では、外人持株は原則二五％に抑えられ、原則的に一〇〇％保有になるのは五十五年十二月の新外為法施行を待たねばなりませんでした。この際、石油会社など一部の企業については「外人に乗っ取られると、わが国の経済や安全に重大な影響が及ぶ」という判断基準に基づいて〝政府指定企業〟という形で外人持株比率が制限されましたが、これも五十九年七月には廃止され、現時点ではすべての企業について完全に外人の株式取得が自由になっています。

? 15

代表的な買占め、仕手戦にはどんなものがありますか

四十年代以降ではジャパンライン、ヂーゼル機器、宮地鉄工所などが有名です。

株の売り買いの中心的人物（グループ）を、能の言葉を借りて仕手（主役）と呼びます。買占めは、こうした仕手が経営権の取得や株価のつり上げ（売却益の取得）などを目的に、内密に株を買い集めることです。同じ買占めでも、制度化されているものにＴＯＢ（株式の公開買付）があります。株主に一定の期間内、一定の価格で、一定の株数を買いたいと宣言し、株式市場外で株を集める方法です。日本でのＴＯＢ第一号は、米国ベンディックス社による自動車機器株の取得でした。

仕手戦は仕手（買い方）と仕手（売り方）のぶつかり合いです。投機が激しくなり、買い方は相場をあおり、売り方は崩そうと必死の攻防が展開されます。また仕手戦が長期化して、買い方が売り抜けできない事態に陥った場合、買占めと同じ形になることも多くみられます。

戦後の代表的な買占事件としては、三十一年暮れから三十四年夏まで続いた東洋精糖事件がありました。この事件を契機に取引所の理事長権限が強化され、株価の異常変動に対して、値動きの規制、信用取引の保証金積増し、売買の停止などの措置がとられるようになりました。

買占株数で最大のものは、四十六年に起こった三光汽船によるジャパンラインの買占めです。四十八年四月に決着するまでに、一億四千万株強（発行済み株式数の四一％）を三光汽船が握りました。

また金額では笹川グループによるヂーゼル機器事件です。二千七百六十万株、時価四百億円強を買い占め、注目されました。ただヂーゼル機器問題がきっかけで、買占めと不当な肩代わりを防止する特別報告銘柄制度が生まれ、同社株はその第一号に指定（五十三年十月）されました。

一方、仕手戦で有名なものには旭硝子事件(二十四年)、中山製鋼所事件(四十六―四十七年)、宮地鉄工所事件(五十四―五十六年)があります。

一般投資家による仕手戦で、最後は買占めに発展したのが宮地鉄工所事件です。証券会社の歩合外務員をリーダーとする投資グループ・誠備投資顧問室が相場をつくり、五十四年十一月に二百一円だった同社の株価は五十五年八月には二千九百五十円になりました。小資本の会社の信用取引制度という欠陥をたくみについたもので、この事件で東京証券取引所は貸借銘柄の最低資本金を三十億円に引き上げるという対策をとりました。発行済み株式数の七一％弱を握り、役員を送り込むことに成功した同グループですが、最後はリーダーが脱税容疑で逮捕されたため、宮地鉄工所株だけでなく、石井鉄工所、安藤建設、丸善など同グループが手がけたいわゆる誠備銘柄の株価は暴落し、仕手戦は終焉を迎えました。

資本提携などをねらった経営戦略上からの買占めが増えているのが最近の特徴です。六十年八月にはミネベアが三協精機製作所の発行済み株式数の一九％を取得、これをテコに合併工作を進めている事実が表面化しました。ところがその直後にミネベアの株式や転換社債が海外の証券会社に買い占められ、米国の投資会社がミネベアにＴＯＢをかけようとしていることがわかり、株式市場に大きな衝撃を与えました。

2
株式投資

? 16

株式取引はどのように行なわれるのですか

証券取引所で会員の証券会社が実物取引、市場集中、競争売買の三原則に基づいて行ないます。

証券取引所での株式取引は「取引の原則」に基づいて行なわれていますが、この原則は、①実物取引、②市場集中、③競争売買――の三つからなっています。実物取引というのは、株式の売買があれば、必ず株式、代金の受渡しを取引決済日に行なうという意味です。市場集中というのは、証券取引所の市場内で行なうことです。

三番目の競争売買は、価格優先の原則と時間優先の原則という二つに分けられます。価格優先とは、売りについては低い値段が優先し、買いについては高い値段が優先する原則です。一方、時間優先とは、同一値段の場合、時間の先の方が後のものに優先するというものです。この三原則は、昭和二十四年にＧＨＱ（連合軍司令部）が提示した「証取三原則」というものが母胎になっています。

どうしてこのような原則にのっとって取引を行なうのかというと、大量の売買取引を公正、円滑に処理するためです。東京証券取引所では取引を行なうため、必要な売買立会場を設けるとともに、立会時間、取引の種類、売買の呼び値、取引の単位、売買契約の方法など、さまざまな売買取引に関するルールを定め、株式の円滑な流通と公正な価格形成を図っているわけです。

取引は証券取引所の会員、つまり証券業者に限られています。ただ、証券業者ならすべて会員にな

れるかというとそうではありません。会員になるには資産内容などの資格検査があります。現在、会員数は東京証券取引所で八十三社、大阪証券取引所で五十一社となっています。

取引所は日曜・祝日、第二土曜日は休みです。また年初の三日間、年末の三日間も休みます。立会時間は午前九―十一時（前場）、午後一―三時（後場）の二回になっています。また土曜と大発会、大納会は午前だけの立会いとなっています。なお全国八取引所のうち札幌、福岡、広島、新潟の取引所の立会いは午前が九時から十一時三十分、午後が一時から三時三十分と三十分ずつ長くなっています。また大阪の取引所も七十の特例銘柄については、通常より十分早く八時五十分から立会いを始めています。

それでは、取引の種類にはどんなものがあるでしょうか。受渡日を基準にすると、①普通取引、②当日決済取引、③特約日決済取引、④発行日決済取引――の四つに分類できます。普通取引は売買契約が成立した日を含めて四日目に受渡しをするもので、全体の取引の九五％以上を占めています。一般に取引というとこの普通取引を指します。当日決済取引とは、売買契約日に決済を行なうものです。特約日決済は、売買契約日から十五日以内の当事者双方が約束した日に受渡しをする取引ですが、現在は利用されていません。最後の発行日決済取引とは、まだ発行されていない株券の取引をいいます。

それから普通取引を現物（現金）取引と信用取引に分けることもできます。信用取引とは、手元に十分な資金や株式がなくても、証券会社から資金や株式を借りて株式投資ができる仕組みです。

?17 証券会社の仕事の内容はどのようなものですか

自己売買、委託売買、引受業務、募集売出業務の四つに分けられます。

証券会社といえば「株を売ったり買ったりするところ」――というイメージしか浮かばない人が多いかもしれません。株式の売買が証券会社にとって重要な業務であることは確かですが、それ以外にも証券会社はさまざまな仕事を行なっています。証券会社の業務は現在、大蔵省による免許事業となっています。これは四十年不況によって経営危機に陥る証券会社が続出したためにとられた措置で、大蔵省では財務の健全性など総合的な判断をしたうえで、免許の認可を行なっています。大蔵省の認可によって証券会社が行なえる仕事は、①ディーラー業務、②ブローカー業務、③アンダーライター業務、④ディストリビューター業務――の四つに分かれます。

ディーラー業務とは、有価証券の売買を証券会社の自己資金で行なうもので、自己売買と呼ばれています。これに対してブローカー業務とは、有価証券の売買の仲介や取次を行なう仕事です。私たちが株式などを売買する時に証券会社に依頼し、手数料を支払いますが、これがブローカー業務です。ディーラー業務、ブローカー業務はいずれも流通市場における証券会社の仕事です。

アンダーライター業務（引受業）、ディストリビューター業務は、発行市場における証券会社の仕事です。アンダーライター業務とは、企業や公共団体などが株式、債券などを発行する際に証券会社

がこれを引き受けて、一般の人に売りさばく仕事をいいます。これに対しディストリビューター業務は、有価証券の募集および売出を行なうことで、アンダーライターの下請となり、一般投資家と直結した仕事です。証券会社はおおむね、この四つの業務のうちいくつかの免許を取得して、営業活動を行なっています。特に資本金三十億円以上で、アンダーライター、ディーラー、ブローカーの三業務を兼ねた証券会社を総合証券と呼んでおり、野村、日興、大和、山一の大手四社をはじめ、新日本、三洋、和光、日本勧業角丸、岡三、山種、大阪屋、第一、国際、東京、丸三、東洋、ユニバーサル、太平洋、ナショナル、水戸の二十社が総合証券です。

ただアンダーライター業務については、リスクを伴ううえ、さまざまなノウハウも必要なだけに事実上、大手四社の独走体制となっています。ディーラー、ブローカー業務についても、豊富な資金力と営業力を持つ大手証券に、中堅以下の証券会社は太刀打ちできないのが実情で、大手証券と中堅・中小証券との収益力格差は一段と広がってきており、証券業界全体の問題となりつつあります。

また、日本企業の海外での資金調達の活発化など、証券市場の国際化も急速に広がっていますが、それとともに銀行と証券会社との業務内容が徐々に抵触しています。国内においてはアンダーライター業務は証取法によって証券会社の独占的な業務と認められていますが、ヨーロッパでは銀行と証券会社の〝垣根〟がなく、日本の銀行も合弁会社を通じてアンダーライター業務への進出に意欲的なためです。さらに国内においても銀行の国債窓口販売が五十八年四月から実施されたうえ、五十九年六月からは銀行による既発債の売買（ディーリング）も始まり、銀行と証券との競合関係はますます強まりつつあります。

？18 クロス商いとは何のことですか

同一証券会社が同一銘柄を同時に売りと買いに出す方法で、大口の取引の時に行なわれます。

株式市場はいうまでもなく株式を売り買いするところですが、それにはいろいろなやり方があり、クロス商いもその一つです。それをひとくちでいえば、「同じ証券会社が同一銘柄の株式（債券）について、同時に売りと買いを出し、取引所市場で商いを成立させる売買手法」ということになります。証券会社がクロス商いを行なうのは、まとまった売り（買い）が出た場合、あらかじめそれに対応する買い（売り）手をみつけておき、それを同時に市場に出して商いを成立させるわけです。

これは、一銘柄に百万株とか二百万株とかいった大量の売り（買い）が一度に市場に出ると、株価が大きく変動して予想外の値段で売買される恐れがあり、これを避けるために使われることが多く、「大口対当売買」とも呼ばれています。

クロス商いは大量売買が前提になっているため、個人投資家が行なうケースは少なく、大半は事業会社、銀行、生命保険・損害保険、投資信託など、いわゆる機関投資家が行なっています。株式市場では近年、個人投資家のウエートが低下し、事業法人、生保などの比重が高まるという〝法人化現象〟が注目されていますが、クロス商いの繁閑はこの機関投資家の動向を測るバロメーターの一つといえます。全国八証券取引所に上場している千八百六社（六十年三月末現在）の全発行株式数二千五

百八十億株の分布をみると法人は七三・四%にも達しています。この大量の株式が主にクロス商いで移動するわけですが、景気や企業収益がどのような状況にあるかによって、クロス商いの目的も違ってきます。その代表は不況期にみられる金融クロスと呼ばれるものです。これは収益悪化に苦しむ事業会社が赤字補塡や資金繰りをつけるために手持ち株式を放出するもので、その際、事業会社は現物で売ると同時に信用取引で買建てし、その受取代金と信用取引に要する資金の差額を自社の資金繰りに生かします。

この金融クロスは第一次石油ショック後の不況期に急増しましたが、最近はすっかり影をひそめています。それに代わって増加しているのが外人投資家によるクロス商いです。外人投資家は第一次、第二次石油ショックを乗り切った日本企業の実力や、それに支えられた日本経済のファンダメンタルズ（基礎的条件）のよさに着目し、五十五年に大挙して日本株買いに向かいました。特に五十五年の外人ブームの中心だったクウェートなどのオイルマネーは、日本株の大量購入をねらったため、当時新日本製鉄、日立製作所など日本を代表する大企業には一千万株単位のクロス商いが行なわれました。東京証券取引所の調べによると、第一部市場の大口クロス（三十万株以上）だけで、五十三年七十九億株、五十四年七十六億株と続き、五十五年には九十七億株と四十八年の八十億九千万株を大幅に上回り、これまでの最高となり、五十六年も九十四億株と引続き高水準でした。ただ、五十七年は株式市場の低迷を反映し、五十九億株、五十八年、五十九年もそれぞれ五十七億株、五十五億株と低水準で推移しました。

?19 株式オプション取引とはどういうことですか

シカゴで一九七三年からはじまった株式取引方法の一つで、わが国でも導入を検討しています。

オプション取引——耳慣れない言葉ですが、米国のシカゴで、一九七三年からはじまった株式取引の一種で、米国、カナダに普及し、ヨーロッパにも波及しようとしています。こうした先進各国の動きに呼応する形で、日本の証券界も「オプション取引をはじめよう」という声が高まり、日本証券業協会が中心になって米国、カナダへ調査団を派遣、実態調査を行ない、その成果を踏まえて大蔵省や全国の証券取引所にその実現を働きかけています。「オプション取引は現在の証券取引法で認められている有価証券かどうか」、「オプション取引を導入した場合、現在の信用取引とのかねあいはどうするのか」——など、なお問題点も多く、大蔵省、東京証券取引所では時間をかけて検討していますが、名古屋証券取引所では市場活性化の一つとして導入をめざしています。

「オプション（option）」という言葉は、語源的には、「自由な選択」「選択権」という意味です。そこで株式のオプション取引とは、一定期間中に一定数量の株式を定められた価格で買い付ける選択権（コール・オプション）、または売り付けることのできる選択権（プット・オプション）を売買することです。

では、具体的に投資家はオプション取引をどう利用するのでしょう。コール・オプション（買いオ

プション）についてみると、たとえば、ある投資家が時価五十五ドルのA株式百株を、十二月末までならいつの時点でも六十ドル（権利行使価格）で買い付ける権利を一株六ドルで買ったとしましょう。A株が六カ月以内に七十ドルになれば、買付権を行使してA株を六十ドルで買い、時価の七十ドルで売却して売買益を得ることができます。

一方、オプションの売り手は、買い手が権利行使してきた場合にはA株百株を六十ドルで売り渡さなければなりません。もちろん、株価が予想どおり上がっても、買い手は株を必ず買い入れなければならないわけではなく、その権利を売ることもできます。というのは、株価上昇とともに買った時六ドルだったオプション価格も上がっており、オプション価格そのものの値上がり益を享受できるからです。また不運にも期待とは逆に株価が下がった時は、権利を放棄すれば、オプション価格分だけの損で済むわけです。

オプション取引の特徴は、この買入れの権利を得るための価格（プレミアムともいう）を支払わなければなりません。これも市場の売り方と買い方の需給関係で決まりますが、一応株式時価の七、八%―一二、三%前後がメドといわれます。少ない資金で投機が楽しめ、株価の大きな値下がりにも損失がプレミアム分だけで済むというのが魅力とされていますが、米国では株式を買って同時にオプションを売るといった具合に、いろいろな組合わせの投資作戦が行なわれています。投機性よりはむしろ保険つなぎに役立つと強調されているほどです。

? 20 株式投資と銀行預金を比較すると、どちらが有利ですか

銘柄しだいで株式の総合利回り（配当益＋値上がり益）の方が銀行預金より高くなります。

銀行預金の利息にもいろいろありますが、たとえば一年ものの定期預金をみると、最近では年利四％台から七％台で動いています。これに比べて株式投資の場合はどうでしょうか。配当（インカム・ゲイン）による利回りは銘柄にもよりますが、平均約一％と非常に低いものが多くなっています。しかし、株式には値上がり益（キャピタル・ゲイン）があります。ですから株式投資の場合は、配当収入と値上がり益を合わせて総合的な利回りを考えるべきでしょう。

日本証券経済研究所が東京証券取引所第一部上場の全銘柄について計算したところでは、昭和五十九年の株式投資収益率は二九・四％となっています。同じ期間、銀行におカネを預けていたよりかなり高い利回りになっています。

ただ注意しなければならないのは、どんな業種、銘柄を買っても高い利回りになったわけではありません。海運・石油株、鉄鋼株などでは平均の値上がり率を下回った銘柄も多かったはずです。また不動産・建設株なども成績はよくなかったと思われます。その半面、金融・保険、繊維、空運、通信株などは平均以上の利回りになっています。

では、平均より高い利回りになるような銘柄をみつけるにはどうすればよいでしょうか。株価は短

期的には、信用取引による売り買いや機関投資家の態度などで上下することはあります。しかし、長期的にはその会社の利益の伸びによって動いていきます。「利益が二倍になると株価は四倍になる」といった人もいるほどです。ですから、先行き五年なら五年、十年なら十年のうちに平均的な会社より成長率が高い会社、つまり利益の伸びの高い会社を選ぶことが肝心です。それには、成長商品、新しい技術を開発する可能性を秘めた会社を探すことです。

また安定成長時代を迎えて、従来ほど高い総合利回りは得られないのではないかといった疑問もあるでしょう。確かに、昭和四十年に千円そこそこだった日経平均株価（当時の日経ダウ）が四十八年には五千三百円台にも達するというような「株価の高成長時代」は終わったかもしれません。しかし、全体の利回りは低下しても、それを上回るような銘柄は必ずあります。ですから安定成長時代だからといって、むやみに安定性だけを求めないことが重要でしょう。

東証株価指数をみても四十三年一月四日に大型、中型、小型株指数がいずれも一〇〇でスタートしましたが、やはり小型株指数の値上がり率が大きくなっています。こうした例からわかるように、株式投資は銘柄の選定をうまく行なうと、銀行預金よりかなりよい利回りを得ることができるといえましょう。ただ株式投資は「確定利付き」ではないので、それだけ日本経済の先行きや企業の将来性について勉強する必要があるといえましょう。

?21 株式投資の銘柄や買うチャンスはどうやってみつけたらよいのですか

まず将来の成長企業を探すことです。買い時は相場と反対の動きをする金利が一つの目安です。

株式投資では誰もが銘柄選定に悩みます。株式投資でいちばん大切なことは、株価は収益が基本になっているという視点を忘れないことです。したがって、一般の投資家にとっては今後の収益の拡大が見込める銘柄、つまり成長企業を選ぶことが第一です。

それには「五年先、十年先にどの業種が伸びているか」を考えてみるのが良いでしょう。四十三年初めを一〇〇とした東証の業種別株価指数をみると、六十年七月末では金融・保険三八三七、通信三一一七、精密一三六五などに対し、海運四〇七、農林・水産四六三、鉄鋼四六六などと、業種別で株価上昇力に大きな差があります。これはわが国の産業構造の変化を反映したものといえますが、海運、水産の株を持っていた人より銀行、通信株を持っていた人が大もうけしたことになります。

しかし、今後も同じような傾向が続くとは限りません。国際環境やわが国の産業構造の変化、技術革新のスピードなどを総合的に考えて、中長期的な成長産業を判断する必要があります。最近は技術革新からエレクトロニクス、バイオテクノロジー、新素材が注目分野となっています。ただ電機業界がすべてエレクトロニクスに関係しているかというと、そうではありません。化学や繊維などにもエレクトロニクス分野に進出している企業もあります。このため、成長産業がそのまま既存の業種分類

には当てはまりにくくなっています。まず成長産業を見極めたうえで、具体的にどの企業と結びつくか考えます。さらに、同じ分野の仕事をしていても先行投資の姿勢や販売力などで、企業の成長性に大きな開きが出ますから、それも銘柄選定の重要なポイントです。

また、株式投資は「安い時に買って高い時に売る」ことが基本ですが、現実にはこれがそう簡単ではありません。成長性の高い銘柄の場合、全体の相場動向と連動することが多いですから、第一に相場が底値圏にあり、上昇に転じる時期が買い場になります。この相場の変動を長期的に判断するには、金利動向が大事な目安になります。日経平均と公定歩合の動きを比較してみると、長期的には「金利が下がれば株価が上がり、金利が上がれば株価は下がる」という逆相関の関係にあることがわかります。最近は資金の国際的な流動が強まっており、米国を中心にした海外の金利動向からも目を離せません。五十七年秋から株式相場は優良株を先導役に上昇局面に入りましたが、この背景のひとつには米国の高金利が低下し海外の資金が日本の株式市場に流入したことがあげられます。つまり株を買うタイミングは金利の安い時、さらにいえば金利が低下傾向にある時といってもいいでしょう。

相場が天井か底かの判断は、投資家の心理からみて、大方の人が強気になってしまった時は天井、逆に弱気の人が大半なら底になりがちです。これは強気、弱気の材料が株価に織り込まれてしまうからです。この心理状態を表わす指標の一つが信用取引の貸借倍率です。東京、名古屋、大阪の三市場の貸借倍率が毎週、発表されます。具体的にこれが何倍なら底といったことは単純にいえませんが、長期的な傾向の中で倍率が非常に低い水準にきたら買い場であることは間違いありません。このほか、株価収益率（ＰＥＲ）も一つの手がかりになり、これも低水準になった時が買うチャンスです。

?22

どのような株を優良株と呼ぶのですか

要するに優良会社の株という意味で、収益性、安全性、成長性にすぐれていることが必要です。

新聞の株式欄をみていると、「トヨタ、松下などの優良株が人気づいている」とか、「値がさ優良株が下げた」といった記事をよくみかけます。では、この優良株とはいったいどんな株を指しているのでしょうか。また、どんな条件を備えているのでしょうか。

実は優良株の明確な定義はなく、世間一般でよくいう優良会社と同じような意味で使われていると考えてよいでしょう。要するに、収益が高く、資産内容もよくて、そのうえ成長性もあり、技術力もある――そんな会社の株を優良株と呼んでいるようです。具体的には、自動車のトヨタ自動車、日産自動車、電機の松下電器産業、ソニー、京セラ、薬品の武田薬品工業、カメラのキヤノン、リコー、そのほか富士写真フイルム、味の素、東京海上火災保険、日本楽器、ブリヂストン、大日本印刷など枚挙にいとまがありません。

優良株の条件をもう少しつきつめてみましょう。①収益性、②安全性、③成長性――の三つがいずれもすぐれていることが、なによりも必要です。ただ、収益力が高ければすべて優良株かといえば、そういうわけにはいきません。公共事業の性格が強い電力、通信、銀行などは優良株とはいわないようです。この三条件のほかに、技術水準が高い、独占・寡占商品をかかえている、経営陣がすぐれて

いる、国際競争力がある、なども加味されます。

時代の変遷とともに、優良株の定義も変わってきているようです。高度成長期には収益性や成長性に重点がおかれていましたが、減速経済を迎え、資産内容や経営力なども重要視されつつあります。当然、銘柄の浮き沈みもあるわけです。トヨタ自動車、松下電器産業などは昔から不動の地位を築いていますが、ファナック、日本電気などが優良株に仲間入りしたのはつい最近のことです。

優良株を株価水準の高安によって、値がさ優良株、中堅優良株と呼ぶことがあります。株価がいくら以上ならば値がさ株かは絶対的な基準はなく、あくまでも相対的な分け方に過ぎません。現在は株価が二、三千円以上の銘柄を一般に値がさ優良株と呼んでいるようです。ソニー、ファナック、TDKなどが代表銘柄といえます。値がさ株と呼ばれる会社は、資本金が比較的小さく、高率配当を実施しているところが多いようです。

米国では優良株のことを「ブルー・チップ」と呼んでいます。収益力、財務内容が重視されている点では、わが国の優良株と同じですが、そのほか経営者がすぐれている、主要産業に属している、業界で有力な地位にある、などの要件も必要不可欠となっています。ゼネラル・モータース、IBMなど資本金が比較的大きく、市場の流通性が高い銘柄が多いこともわが国とはやや異なっています。

優良株は業績の動向を素直に反映した動きをとることが多いようです。つまり、株価を決める要素は、あくまでも株式の持つ価値によるわけです。このため、優良株が主役の相場を業績相場と呼んでいます。また、優良株の動向を占ううえで、外人投資家、投資信託などの動きも見逃せません。

? 23 会社の業績は株価にどのように影響しますか

株価は決算後に公表された結果より、先行きの見通しをより強く反映します。

会社の決算がまとまってそれを公表するのを「決算発表」といっていますが、中間決算の場合は決算期末から一カ月前後たったころからはじまり、一カ月半後あたりでヤマ場を迎えます。本決算の場合は期末から五十日—五十五日後に決算発表が集中しています。三月中間決算の場合だと、五月上旬からスタート、五月中旬にピーク、また三月本決算会社は五月下旬にかなり発表が集中します。

株価は基本的には会社の業績によって決まります。短期的には仕手筋の動きや信用残の整理などで上下することも多いのですが、長い目でみると、「どれだけ稼ぐか」が株価の決め手です。このため期末が終わり決算発表が近づくと、「予想より業績が悪かった」という早耳筋の情報で売りたたかれることがよくあります。逆に予想よりよい場合は、それをはやして買われることにもなるわけです。

もちろん決算発表の結果、株式市場で予想していた内容と大きく違っていた場合にも株価は動きますが、この時期になるとむしろ次の決算期に対する見通しに関心が集まってきます。「株価は会社の将来性を反映したもの」との見方からすれば、当然だともいえましょう。決算発表の翌日の日本経済新聞には売上げ、経常利益、税引き利益、一株当たり利益、一株当たり配当金の数字が前期（中間決算の場合は前年同期）と今期見通しを含めて掲載されます。

単に税引き利益だけをみていると、特別利益のなかに土地や株式の売却益が含まれていて、実体以上に決算がよくみえる場合もありますので、注意しなければなりません。反対に有税で償却を行なったり、引当金を積み増したりすると、最終利益の額が実力以下に抑えられて出てきます。このため、税引き利益だけでなく、経常利益や営業利益、さらには貸借対照表にも目を通すことが必要になってきます。同じ一株当たり利益といっても、余裕タップリの場合とムリをしてひねり出している場合とでは中身はまったく違います。当然株価には中身の方が反映されてくることになります。

また、最近の株式市場では「変化率」といった言葉を耳にします。これは別の言葉でいえば業績の伸び率ともいえましょう。株式市場で魅力的な銘柄は利益が二割、三割と大きく伸びる銘柄です。いわゆる優良会社といっても、一株当たり利益がいつも横ばいでは、投資の対象としては妙味がありません。株価収益率の考え方も、高い成長を見込まれる会社なら高い株価収益率でも買える、との考え方に基づいています。むしろ成長力の乏しい会社なら、業績が落ち込んで株価が底を入れたあと、回復過程に入ったところで買う方に妙味があります。こうした景気循環株の場合は、業績の好転、悪化をいち早く知って短期にサヤを稼ぐのがポイントでしょう。

企業の業績をみるうえから連結決算にも注目すべきです。連結決算は五十三年三月期決算会社からスタートしましたが、当初は関連会社（親会社の出資比率が二〇％以上、五〇％以下）の業績まで決算に反映させる持ち分法は適用しなくてもかまいませんでした。しかし、五十九年三月期決算から強制されることになり、企業グループの実力がわかりやすくなりました。特に、外人投資家が連結決算に注目しているので、連結決算が株価に与える影響は大きいといえます。

?24 円相場と株価にはどんな関係がありますか

円高は日本経済の強さの表われで、外人の日本株投資が増えて株価上昇の要因となります。

最近、新聞の株式欄では「円高下の株高」とか、「円高で外人買いが増える」といった記事をよくみかけます。常識的に考えると、わが国には自動車、家電など輸出依存型の企業が多く、円高になれば輸出がしにくくなって、これらの企業の業績が悪化します。これが株価にも影響しておかしくないはずです。ところが、株価は円高だから上がるというのです。なぜでしょうか。

その前に、まず日本円の対ドル為替レートの変遷をみると、戦後、円は長い間一ドル＝三六〇円という固定レートに据え置かれ、為替の変動にはあまり注意を払う必要がありませんでした。ところが国際的な通貨であるドルの大幅な減価で四十六年十二月、新しいドルと他国の通貨の交換レートを決めるスミソニアン体制ができました。その後、各国の通貨はすべてフロート（変動相場）制に移り、対ドル交換レートが通貨の需給によって毎日動くようになりました。もちろん通貨の需給以外に、為替相場にはその国の経済力や政治の安定性といった要素も含まれています。四十八年の第一次石油ショックを乗り切った日本経済は、持ち前の活力と勤勉さで五十四年の第二次石油ショックも乗り切ろうとしています。これが五十六年初めに一ドル＝一九九円まで円高が進んだ背景といえます。

この円高のなかでも日本の輸出企業の多くは省力、省エネルギーといった合理化努力や、輸出製品

の値上げで円高に対する適応力を高め、現実に収益を伸ばしています。この日本企業の抵抗力の強さ、成長力は国際的にも注目の的となりました。加えて、五十五年十二月に外国為替管理法が改正され、外人の日本株取得が政府の指定する十一社を除いて自由になり、日本株への投資が活発化しました。五十九年七月には十一社に対する制限も撤廃され、外人の日本株取得は完全自由化しました。

ただ外人投資家が日本の株に魅力を感じたというだけではありません。円高が続くと円を買えばもうかるということから、円買いに代わって日本株を買おうとする外人投資家が増えたという側面も見逃せません。もちろん買った株が上がれば二重のもうけとなることも大きな要素といえます。

ある外人投資家が新日本製鉄株一万株を一株二百円で買うとすると、投資額は日本円で二百万円要りますが、この時の円相場が一ドル＝二〇〇円とすると、ドルでの投資額は一万ドルになります。その後株価はそのままで円相場だけが一ドル＝一八〇円と円高に推移した時に、新日鉄株一万株をすべて売ったとします。一株二百円で売却し手にした二百万円を一ドル＝一八〇円でドルに交換すると、手取り額は一万一千百ドル強となります。株価が動かなくても、円高だけで一〇％を超すもうけがころがりこんだわけです。これに株高があれば外人投資家にとっては一石二鳥となる勘定です。

これが五十六年前半の外人買い増加の最も大きな理由で、円高イコール株高の主因となりました。ところが為替相場は戦争など国際政治情勢や各国経済の動きを敏感に反映し、かなり激しい上下動を繰り返します。こうした為替変動が激しい時には、外人投資家は日本株買いを手控えることも考えられます。円相場の基調が長期にわたって強い場合は外人買いが入りやすく、即株高につながるでしょうが、円相場の変動が激しい時には逆に株価にはマイナスとなるでしょう。

?25

株式を売買するにはどんな注意が必要ですか

まず成り行き注文か指し値注文かを決めること、株券の保管や名義書換にも注意が必要です。

株を売り買いするには「この株を買い（売り）たい」と決心がつけば、近くの証券会社へいって銘柄と株数を注文すればいいわけです。もちろん何度かいったことのある証券会社なら、電話で注文もできます。この際、注文を「成り行き注文」にするか「指し値注文」にするかを聞かれます。

「成り行き注文」とは、値段はかまわないからできるだけ早く買いたい（売りたい）という注文です。一方「指し値注文」は、「〇〇円で買いたい（売りたい）」というふうに、値段を指定するものです。成り行き注文は「寄付で」とか「大引けで」など、取引の時間に注文をつけることもできます。

この成り行き注文は商いが成立しない場合は通常、証券会社からその日のうちに連絡があるはずですが、それを確認して再度、注文を出すかどうか決める必要があります。成り行き注文を出す場合、第一部の比較的出来高の多い銘柄なら安心ですが、第二部の商いの少ない銘柄の場合は、思っていたよりもかなり高い(安い)値段で商いが成立して、注文を出した方が驚くといったこともあります。

商いが成立すると、たいていの証券会社からはお客のところへ電話で「〇〇円で買えた（売れた）」との連絡があります。もちろん正式な報告書も発送されます。通常、この「売買報告書」は商いの成立した日に郵送するので、二、三日のうちには手元に届くはずです。この報告書には値段や株数が記

入されているので、よくチェックしておく必要があるでしょう。

その証券会社との取引がはじめてなら、注文と同時に、買い注文ならおカネ、売り注文なら株券を預けておくのが賢明です。その際は必ず「預かり証」を受け取っておくことです。ただ何度も取引をしている場合は「四日目決済」の原則で、約定日から四日目の朝までにおカネや株券を証券会社に渡せばいいのです。

株を買った場合、証券会社から自宅へ持ち帰ってくるのが不用心と思えば、保護預かり制度を利用できます。保護預かりの経費は株数に関係なく、年間三千円となっています。保護預かりを頼んだ場合は年に二回、「残高照合書」がくるので、よくみておくことです。

株を買った場合は名義書換も忘れてはならない点です。会社と株主という関係からいえば、株主台帳に名前が登録されてはじめて配当や増資の割当てを受けることができます。名義書換は証券会社に依頼すれば代わってやってくれます。この時の費用は一件一万株までが五百円で、一万株を超える場合には千株ごとに五十円を加えた金額で、最高は一万円です。またその会社の代行業務を受け持っている信託銀行に、株券と印鑑をもっていけば名義書換の手続きができます。

名義書換に出すと株券が戻ってくるまで十日ないし二週間ぐらいかかります。この間は売れないので、三月末や九月末の決算期末で名義書換が集中する時は、株式市場で株価が急伸したりすることもあります。なお発行会社側はふつう、決算期末の翌日から株主総会日まで名義書換を停止していま す。また中間決算の場合も期末の翌日から三十日程度、名義書換を停止する会社が多くなっていま す。

?26 株式の売買手数料はどのくらいかかるのですか

五十二年四月から従価方式となり、約定代金（売買金額）によって計算式が決まっています。

「株が値上がりしたので売ったのだが、手数料をとられてあまりもうけが残らなかった」――こういう不満をもらす人によく会います。株を売買すると、買った時も売った時も手数料をとられます。株式投資をする場合、値ザヤとともに手数料がどのくらいかかるかもよく考えておくことが必要です。

現在の株式委託手数料の基本的な仕組みは五十二年四月から実施されたものですが、その基本は従価方式というもので、売り買いの金額（約定代金）によって決める方式です。それまでは株価や売買の株数などによって決める段階方式をとっていましたが、ロンドン、パリなど世界の株式市場で採用されている従価方式を取り入れ、手数料の面でも国際化を図ったわけです。この手数料体系では、約定代金から手数料を計算するわけですから、二百円の株を三万株買い付けても、六百円の株を一万株買い付けても、手数料は同じということになります。機関投資家の売買活発化を反映して六十年四月中旬から大口手数料の引き下げが行なわれました。手数料の計算は「別表」の通りです。

たとえば三百五十円の株を一万株買ったとします。約定代金は三百五十万円ですから、別表から計算する手数料は三万八千二百五十円になります。一方、この株が四百五十円に上がったので売ったとすると、その時の手数料は四万七千七百五十円になります。合計の手数料は八万六千円です。実際の

売買では、売った時に有価証券取引税（一万分の五五）をとられますから、このケースの場合なら、もうけは八十八万九千二百五十円となります。三百五十円の株を一万株買ったケースを考えると、十円以上上がれば売りの手数料、有価証券取引税を払っても若干もうけが残ることになります。

ただ、同じ金額でも三千五百円の株を千株買った場合は、株価が百円以上上がらないともうけが残らないことになります。つまり五十二年四月の改正で、手数料は従来の方式より値がさ株の場合が高く、値の低い株には安くなったともいえるわけです。

一方、商法改正で単位未満株（一単位が千株なら九百九十九株以下の株数）の取扱いが変わりました。信託銀行などの株式事務代行機関を通じ、上場会社に買取ってもらうわけですが、この際の手数料は取引所の決めた手数料に準ずるという原則になっています。ただ、実際には約定代金が二十万円に達しない場合が多く、ルール通りだと二千五百円を徴収されることになります。しかしこれでは負担が大きいため、売却株数÷千株×二千五百円の計算式で算出した手数料を払うことになっています。登録株を売却するときもこれと同じです。なお、米国では売買手数料は自由化されていますが、国内でも機関投資家あたりから自由化を希望する声が強まっています。

約定代金	手数料	
100万円以下	1.25%	
100万円超 300万円以下	1.05%＋	2,000円
300万円超 500万円以下	0.95%＋	5,000円
500万円超 1,000万円以下	0.85%＋	10,000円
1,000万円超 3,000万円以下	0.75%＋	20,000円
3,000万円超 5,000万円以下	0.65%＋	50,000円
5,000万円超 1億円以下	0.55%＋	100,000円
1億円超 3億円以下	0.45%＋	200,000円
3億円超 5億円以下	0.35%＋	500,000円
5億円超 10億円以下	0.30%＋	750,000円
10億円超	0.25%＋	1,250,000円

売買手数料の算出表。
（注） 約定代金が20万円未満は 2,500円。

?27

単位株とは何のことですか

原則として売買の最低単位を額面五万円とする制度で、単位未満株株主の権利は制限されます。

五十七年十月から実施された改正商法で導入された制度で、上場しているすべての企業に義務づけられています。単位株制度を一口にいうと、現在ある五十円額面株は千株、電力会社など五百円額面株は百株を一単位とするもので、株主の権利である株主総会に出席し、議決に参加し、会社の経営に参画する権利は、単位株主だけに認めようという制度です。したがって九百九十九株の株主には議決権はなく、千九百九十九株の株主は一単位の議決権しかなくなるわけです。

実質的には額面五万円になるわけですが、一単位当たりの純資産額が五万円以上になれば、額面合計は五万円未満でもいいことになっています。このため五十円額面株でもソニー、ファナックは百株を一単位に決めています。これは純資産が多い値がさ株の場合、千株を一単位とすると投資額が多くなり過ぎるためです。また二十円額面の会社では東京都競馬、東京楽天地、甲子園土地企業、御園座の四社は千株を一単位に、近畿映画劇場は二千株、東海観光は三千株を一単位と決めています。いずれも一株当たり純資産をもとに決めたものです。

現在、上場している株式は大半が五十円額面です。五十円額面は明治三十二年に設けられた制度ですが、現在の物価水準からみると一株当たりの額面が低過ぎます。一株しか持っていない株主にも、

株主総会の招集通知を出さなければならず、発行会社の事務負担、通信費など経費負担も大変です。このため商法改正を機会に単位株制度が導入されたのです。単位株制度は、いわゆる「総会屋」を締め出すためにも効果があります。また未上場会社でも定款を変更すれば単位株制度を導入できます。このため店頭登録銘柄でも大半は単位株制度を導入しました。なお五十七年十月以降に新設する会社は、額面株式を発行する場合には額面を五万円以上にしなければなりません。

ところで単位未満株は議決権はありませんが、配当や無償、株式分割、増資新株を引き受ける権利や、会社が解散するとき残余財産の分配を受ける権利はあります。ただし無償交付や株式配当などで単位未満株が発生したときは、株主名簿に記載するだけの登録株になり、株主のところに株券は送られてきません。また単位株主以外の人がすでに流通している単位未満株を買っても、今後はこの株式の名義を書き換えることはできません。

このように単位未満株にはいろいろな制限がありますので、救済策として新たに単位未満株の買取請求制度が設けられました。この制度はその株の発行会社に請求すれば時価で買い取ってもらえるという仕組みで、新たな登録株のほか、すでに流通している端株（単位未満株）にも適用されます。

単位株制度の導入に伴って、流通市場でも一単位株が売買の最低単位になりました。大半の五十円額面の会社の株は従来通り千株単位の売買になっています。また値がさ株には百株単位の売買を認めていましたが、五十七年十月からは一単位を百株としたソニー、ファナックは従来通りですが、一単位を千株とした京セラやＴＤＫは千株単位でしか売買できなくなりました。二十円額面株も、前述したようにそれぞれの会社が決めた単位株数が売買の最低単位になっていますので注意が必要です。

?28 外国の株を買うにはどうすればよいのですか

東証にもいくつか外国株が上場されていますが、証券会社に頼んで直接海外と取引も可能です。

「日本の投資家もいながらにして、ＩＢＭやＧＭ（ゼネラル・モータース）など世界的大企業の株主になれる」――こんなキャッチフレーズで個人の外国証券投資が自由化されたのが昭和四十六年七月です。その後、外国株投資の規制は徐々に解除され、現在では米国、英国、フランス、西独、スイス、カナダ、オランダなど主要国市場の上場株式および店頭銘柄を買うことが可能になっています。

それでは、実際に外国株を買う仕組みはどうなっているのでしょう。外国株式を売買するには、①海外委託取引、②国内店頭取引、③東京証券取引所に上場されている外国株取引――の三つの方法があります。まず、海外の証券取引所の株を直接売買する委託取引をみてみましょう。買い注文は日本の株式を買うのと同じで、証券会社の窓口へ出せばよいのですが、注文を海外の証券市場に直接取り次ぐことができる証券会社は、外貨預金勘定をもっている「取次証券会社」に限られています。

さて、外国株を買う場合は、まず「外国証券取引口座設定約諾書」を証券会社に差し入れ、「外国証券取引口座」を設けます。口座を開いたら、次に注文の執行をするわけですが、まず日本株と同じように指し値か成り行き注文かを決めます。外国株投資の場合、舞台が海外だけに、取引慣行にしたがわなければならないケースが多く、たとえば売買単位についても、日本では通常千株単位ですが、

外国株では市場によって違います。米国の場合は通常百株単位、ロンドンはふつう五十株から百株、パリは二十五株単位といった具合です。

約定ができると、証券会社から売買報告書が送られてきます。受渡しは国内と同じく約定日から四日目で、もちろん外国市場での売買は現地通貨ですが、決済は日本円でいいわけです。手数料は海外手数料、海外取引税、国内取次手数料が必要です。

現地で買い付けた株券は株主である日本人の投資家の手元に取り寄せることもできますが、大蔵大臣の認可や輸送費、保険料などがかかるため、証券会社と契約を結んでいる現地の銀行に保管してもらうのがふつうです。株主権はあくまでも株主のものですが、名義は保管銀行にあり、株主には証券会社から預かり証が送られてくる仕組みです。保管銀行は株券の保管のほか、配当金の受取りや株主総会の議決権などを代行します。

次に外国株の国内店頭取引をみましょう。「外国株を国内株と同じように売買する」というねらいで、四十七年七月からスタートし、直接海外に注文する手間を省いて、証券会社の店頭で売買できるのが特徴です。ただ、すべての外国株が証券会社の店頭にそろっているわけではなく、あくまでも補完的な役割を果たすものです。その点、東京証券取引所が四十八年十二月に開設した「外国部」に上場されている銘柄は、国内の株と同様に毎日の株価の動きや出来高が新聞の相場表にも掲載されるなど、投資家にとって利点が多いといえるでしょう。東証「外国部」に上場されている銘柄数は六十年末現在、ＩＢＭ、シアーズ、ディズニーなど二十一となっています。上場銘柄の増加、商いの活発化に伴い、東証は六十一年一月から立ち会い時間を国内株と同様にするよう延長しています。

?29

配当金の支払いはどのように行なわれるのですか

一般には決算の三カ月あとぐらいに支払われています。

配当金は企業が決算期に得た収益を、株主に還元するという性格のものです。このため配当はふつう決算期後の株主総会で、決算案・利益処分案を承認された後に支払われることになります。

現在の商法では、株主総会は決算期後三カ月以内に開くように決められており、三月期決算会社を例にとると、おおむね六月末に株主総会が開かれています。総会日の翌日をメドに企業から株主に対して「配当金領収証」と「支払副票」が送られてくるので、これに記名、捺印して支払期間内に指定の金融機関にいけば、配当が受け取れる仕組みになっています。また最近では銀行振込制度も定着しています。したがって、決算期を終えてから約三カ月後に配当金を受け取れることになるわけです。

いま説明したのは本決算後の配当金の受取時期ですが、中間配当となると事情が違います。中間配当制度は、四十九年の商法改正後に導入されたものです。商法改正によって営業報告書に対する監査報告書の添付が義務づけられたため、ほとんどの上場会社が五十一年度から従来の年二回の決算から、年一回決算へと移行していきました。このため、株主にとっては従来二度に分けてもらえた配当金を一度しかもらえないといったような問題も出てきました。こうした矛盾を解決するために、事業会社に認められたのが中間配当制度で、中間決算の時期にも配当を行なうことができるようにしたわ

けです。

上場企業が中間配当を実施する場合、株主総会で定款を「中間配当が実施できる」というように変更しなければなりませんが、これを行なえば、本決算後の配当のように株主総会の決算案の承認を得ないでも、取締役会の決議で、中間配当の支払開始日を決定、配当を実施できます。このため中間配当は、本決算後の配当よりも早く受け取ることができるのがふつうです。三月年一回決算の会社の九月中間配当の場合、九月の決算締切後、約六十日前後で、本決算後の配当と同様な手続きによって、株主は配当を受け取ることができます。

ただいずれにしても忘れてならないのは、名義書換です。株式を買った場合、自分が株主であることを証明しなければ、配当、増資など株主としての諸権利を確保することができません。配当の場合、決算期末（中間期末）の名義人に配当を受け取る権利が確定するわけですから、それまでに名義書換を完了しておくことが必要です。通常、○月決算会社といえば、その月の月末が権利確定の日となりますが、会社によっては十五日締切といったように月中に決算期末を迎えるところもありますから、株式に投資する場合、注意する必要がありましょう。

名義書換は、株券と印鑑をもって証券会社にいけば、信託銀行を通じて手続きをしてもらえます。一方、信用取引で株式投資をした場合、期末の名義は証券金融会社（自己融資では証券会社）となっています。この場合、配当金は証券金融会社にいくわけですが、これから税金、諸経費などを控除し、株式配当ならば株式を売却して現金化したうえで、「配当調整金」の名目で、信用取引を行なっている投資家に支払われることになります。

? 30

株主優待制度にはどのようなものがありますか

株主優待制度はサービス業に多く、入場券、乗車券、買物券などが主なものです。

「ただで映画や野球をみられる」「飛行機や船に安い料金で乗れる」――そんなうまい話があるものかと疑うむきも多いでしょうが、株主優待制度にはこうした得な一面があることは確かです。株主優待制度とは、一定数以上の株式を持つ株主に、映画会社であれば直営映画館の無料入場券、航空会社であれば飛行機の割引搭乗券、百貨店であれば買物割引券というように、特別の優待策をとっていることです。こうした株主優待券を出している会社は、レジャー産業、百貨店、ファッション産業、運輸といった業種に多く、素材産業ではほとんど見当たりません。

株式投資のねらいは、一般に値上がり期待と配当収入にあるといえますが、株式の〝おまけ〟ともいえるこの株主優待制度も、活用の仕方によってはバカになりません。一例として全日空の場合をみると、二千株を持っていると全路線用の優待割引券を半年に二枚ずつ、年間で四枚もらえます。

搭乗する区間によって割引券一枚の割引率は変わってきますが、東京―大阪間では二枚で正規の料金の半額になります。この区間の片道料金一万五千六百円からジェット特別料金九百円を差し引いた部分が半額になるので、優待券を年二回フルに利用すれば年間一万四千七百円の節約になります。一株当たりでみれば七・四円分になります。全日空の配当は年四円ですから、使い方しだいでは、優待

券の方が配当よりも大きな利益を生むとも考えられるでしょう。

もっとも、優待券が目的で株式を買ったものの、その後株価が下がり結局損をしたというケースも少なくありません。「優待券がもらえるから」といっても、あくまで値上がり、値下がりのある株式を買うのですから、株式の銘柄選びと買うタイミングに十分注意を払わなくてはならないでしょう。

社名	株数	優待内容	
松竹	1,000株	映画・演芸優待券	年 28枚
	3,000株	〃	年 60枚
		演劇（指定席）	年 6枚
にっかつ	1,000株	映画優待券	年 12枚
東映	1,000株	映画優待券	年 12枚
後楽園スタヂアム	3,300株	自由席パス アイススケートなど無料券	年 24枚
	27,500株	自由席パス アイススケートなど無料券	年 120枚
	55,000株	指定席パス アイススケートなど無料券	年 240枚
高島屋	1,000株	買物割引券（5％引き）	年 12枚
大丸	1,000株	〃（〃）	年 10枚
東武鉄道	26,000株	電車全線パス	1枚
	52,000株	電車 自動車 共通全線パス	1枚
東京急行電鉄	28,000株	電車全線パス	1枚
	57,000株	電車 自動車 共通全線パス	1枚
阪急電鉄	45,000株	電車全線優待パス	1枚
日本航空	200株	株主優待割引券	年 2枚
全日本空輸	2,000株	〃	年 4枚
江崎グリコ	1,000株	800円相当の自社製品	各年2回
	2,000株	1,600円 〃	
	10,000株	3,000円 〃	
不二家	1,000株	700円相当の自社製品・料理引換券	各年2回
	5,000株	1,100円 〃	
山種産業	全株主	山種美術館所蔵日本画カレンダー	年 1回
	1,000株	山種美術館招待券	年 10枚

株主優待制度の一例（60年5月末現在）。

? 31 株式の売買にはどのような税金がかかりますか

株を売った場合に有価証券取引税がかかりますが、売買益は原則として無税です。

「所得のあるところに税金あり」という言葉どおり、株式売買にも税金はつきものです。ただ「株を買うのはいいが、値上がりしてももうけの大半を税金にもっていかれてしまうのでは……」といった心配をする必要はあまりありません。より多くの国民が株式投資に参加しやすい環境をつくり、あわせて借金経営の多いわが国企業の体質強化をねらって、さまざまな方法がとられているからです。

それでは、ある株を買い、その銘柄が値上がりして売却した場合、いったいいくら税金がかかるのでしょうか。その答は「原則として無税」です。たとえば、新日本製鉄の株を二百円で一万株買い、一カ月後に二百二十円で売れば、差引二十万円のもうけになりますが、このもうけ自体には原則として一円の税金もかかりません。新日本製鉄の株価がかりに四百円まで暴騰し、二百万円の売買益を稼ぎ出しても同じことです。

ただ値上がり益には税金がかからなくても、株式売買そのものには税金がかかります。これを「有価証券取引税」といい、株を売った場合にだけかかる税金です。その税率は一万分の五五になっています。先ほどの例でいうと、新日本製鉄を二百二十円で一万株、合計二百二十万円で売ると、その一万分の五五、つまり一万二千百円の有価証券取引税として納めればよいわけです。ただし、逆に株が

値下がりした場合にも、売れば原則として有価証券取引税がかかることになります。

では、いつ、いかなる場合にも、有価証券取引税だけを納め、売買益は無税なのかというと、これがそうではないのです。あくまでこれは〝原則〟で、無制限に認められているものではありません。次のいずれかに当てはまる場合には、売買益に対しても税金がかかります。①営利を目的とした継続的な売買とみなされる場合、②株式の買占めを行なって利益を得たとみなされる場合、③実質的な事業等の譲渡とみなされる場合、④株式の形をとったゴルフの会員権を譲渡した場合、⑤同じ銘柄を一年間で二十万株以上売却した場合、⑥証券取引所が特別報告銘柄に指定した銘柄を指定した期間内に二十万株以上売却した場合——です。

このうち、一般の投資家に関係があるのは第一の「営利を目的とした継続的な売買」でしょう。これについて少し詳しく述べてみましょう。これに当てはまるのは、①年間売買回数が五十回以上で、②年間の取引株数が合計二十万株（五十円額面換算）以上の場合——ということになります。この二つの条件に両方とも当てはまると、売買益に税金がかかります。ここで注意しなければならないのは、売買回数の数え方です。回数の計算は原則として一つの委託契約（売り・買い別）ごとにそれぞれ一回として数えられます。つまり銘柄数や株数には関係ありません。一回の委託契約で十数銘柄、数十万株を売却しても一回と計算され、一日のうちに全部約定できずに数日かかっても一回とみなされるわけです。なお大蔵省は誠備事件のような大がかりな仕手戦の再発を防ぐため、証券会社の「一括受注」を規制しましたが、これは多数の投資家の注文を特定の株に集中して売買する場合で、一人の投資家が多数の銘柄の売買注文をまとめて出す「一括注文」とは異なるものです。

? 32

株式配当にはどのような税金がかかりますか

申告義務免除、源泉分離課税、総合課税の三つがありますが、年々課税が強化されています。

株式売買と税金との関係は前項で説明したとおりですが、実は配当金についても税制上さまざまな優遇措置が施されています。ただ配当金収入の場合、売買益に比べて納税制度はやや複雑です。その分だけ注意が必要ということになりましょう。その納税方法には大ざっぱにいって、①申告義務免除、②源泉分離課税、③総合課税——の三つがあり、投資家は自分の総合所得とにらみあわせながら、このなかで自分に最も有利な方法を選ぶことができます。逆にいうと、納税方法を間違えれば余分に税金を払うことにもなりかねないわけで、その仕組みを知ることは節税のための大きな武器といえましょう。

まずはじめは、申告義務免除です。株式の配当金はすべて一定の源泉税が天引きされて株主の手に渡されますが、一銘柄当たりの年間の配当金が十万円以下であれば、たとえ何銘柄持ち、その配当金の合計額がいくらになろうとも、確定申告をする必要はないという制度です。つまり源泉徴収だけで、納税手続きは一切済んだことになり、しかもこの場合の源泉徴収率は「租税特別措置法」の定めで、二〇％と決められています。小口の株主にとってはきわめて有利な納税制度といえるでしょう。また申告義務の免除は申告しなくてもいいということで、確定申告をした方が有利な場合には、申告

してもさしつかえありません。なお、ここでいう十万円以下の配当金とは「税込み額」を指します。

次が源泉分離課税の場合です。一銘柄当たりの配当金が十万円を超えていても、①一銘柄当たり年間の配当金が五十万円未満で、②一銘柄の持ち株がその会社の発行済み株式総数の五％未満――であれば、この制度を利用することができます。この制度の特徴は、源泉徴収だけで納税手続きが完了するということです。これだけなら申告義務の免除と同じですが、源泉徴収率が三五％と高率なこと、住民税に総合課税がかかること、さらに手続きもややめんどうになるなど、いくつか違いがあります。詳しいことは省きますが、その会社の決算日または中間配当基準日から十五日以内に、「配当所得の源泉分離課税の選択申告書」を当の会社に提出する必要があります。

申告義務免除や源泉分離課税の条件に合わない時には、すべて総合課税の対象となり、税務署に確定申告をしなければなりません。ただその場合でも、「配当控除」という制度があって、納税上の恩恵を受けられます。「配当控除」というのは、配当金収入のうち一〇％（課税所得が千万円を超えている部分は五％）は税金をかけないという制度です。ただし、申告義務免除と源泉分離課税の選択は六十一年末までの特例措置です。

また、「負債利子控除」という制度もあります。これは借金をして株式を買った場合には、配当所得を計算する際に、配当金収入から借入金の利子を必要経費として差し引くことができるというものです。配当金税制については、こうした様々な納税制度がありますが、一般論として、わが国は累進課税制度をとっていることから、所得水準の高い人ほど申告義務免除や源泉分離課税制度をとった方が有利といえるでしょう。

?33 法人の株式投資にはどのような税金がかかりますか

株の売買益は他の所得と合算して課税されますが、配当金は原則として無税です。

最近の証券市場では法人の投資が活発になっています。特に資産運用や資本参加などで株式に投資する場合、税務知識の持合わせがあるかどうかで成果に大きく影響してきます。

一口に法人といっても、株式会社、協同組合、私立学校、宗教団体などいろいろな法人組織があります。法人が株式投資をして、配当を受け取ったり売買益を得たりした時は、法人税が問題になってきますが、この法人税は法人の性格によって取扱いが大きく異なります。まず、もともと法人税のない公共法人や一定の手続きをとれば非課税となる公益法人を除いて、それ以外の株式会社、有限会社、協同組合など、通常、法人税を納める義務のある法人が課税の対象となります。

法人税は毎事業年度に得た所得に対して課税されます。課税所得は「総益金」から「総損金」を除いたものですが、何が益金、損金になるかは税法上特有のルールがあって、企業会計上の収益、費用とは必ずしも一致しません。たとえば法人が株式投資を行なって得た配当金は企業会計では収益ですが、税法では原則として益金にはなりません。また一般の法人が配当金を受け取る時、二〇％の源泉徴収を受けますが、あとで法人税を納める時、法人税額から控除してもらえます。利益が出なくて法人税を納めなくてもいい時は、還付してもらえます。ただこれは、法人がその株式を一年間保有して

いた場合で、保有期間が短いと控除額も小さくなります。最近、増加している特定金銭信託を利用した株式投資でも基本は同じです。

これは二重課税を排除しようというねらいです。すなわち法人Aが法人Bの株主になって配当を受ける場合、もしこれを投資に対する利益であるとして課税すると、同一の利益がまず配当を支払う法人Bの段階で課税され、続いて受け取った法人Aの段階でも課税されるからです。

一方、株式の売買益は他の所得に合算して課税されます。売買益は譲渡価格からその株式の原価と経費を除いたものです。たとえばA法人が同じ決算期の間に新日本製鉄を二百円で一万株買い、二百二十円で売った場合、売却原価は一株当たり二百円です。ところが実際に法人が株式投資をする場合、前期からの手持ちもありますし、期中でも何回にも分けて購入するケースが多く、計算は複雑になります。期中の売却原価は銘柄ごとに〔売却原価＝(前期繰越高＋当期購入高)－期末現在高〕として計算します。ちなみに特定金銭信託を使うと、こうした場合に古くからの株と簿価を分離できるメリットがあります。

売却原価は毎期末に株価をどのように評価するかで変わってきます。税法では①取得した価格をそのまま評価額にする原価法、②取得価格と期末の時価を比べて低い方の価格で評価する低価法――が認められています。そしてこの評価額が次の期の繰越高になりますから、株の評価方法で売却原価は大きく変わってくるわけです。なお法人が株を売った場合、「有価証券取引税」がかかるのは個人と同じで、税率は一万分の五五です。この税金は国と地方公共団体を除くすべての法人にかかります。公共法人や公益法人であっても同様です。

3
株式指標

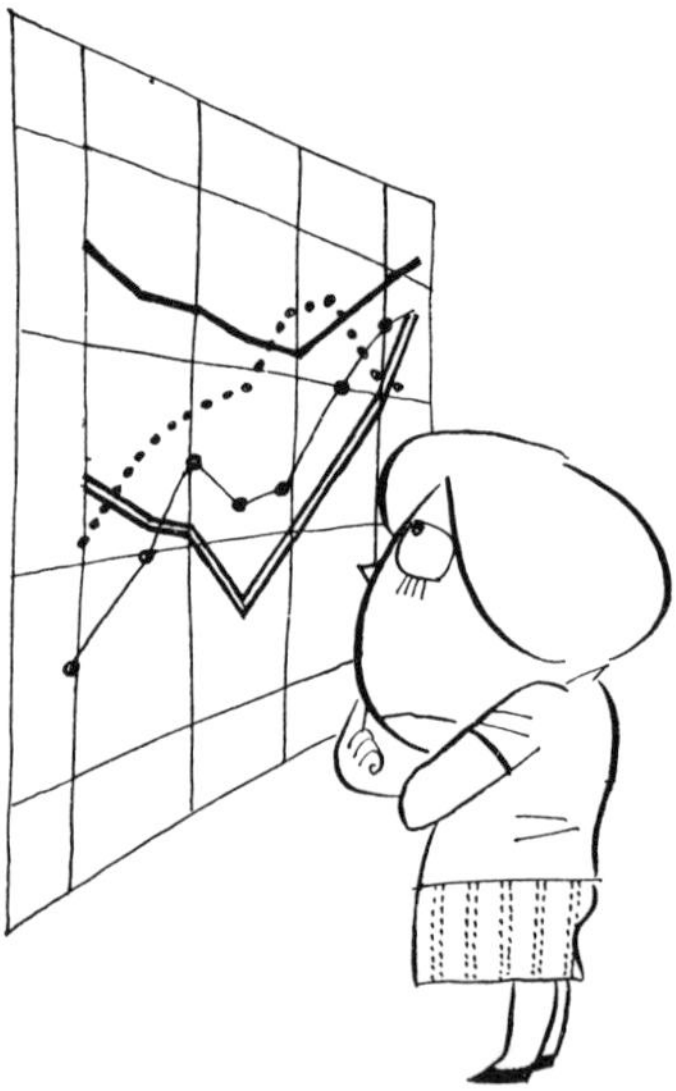

？34 手近に利用できる株式指標にはどのようなものがありますか

出来高、カラ売り比率、値付き率、一株当たり単価、その他があります。

人気の動向が端的な形で表われるのは出来高（売買代金）で、この増減が株価の上下を先見することがしばしばです。そこで、出来高（同）の推移をとらえようとするのが、出来高（同）移動平均線です。短期線としては六日、中期線としては三十日移動平均が一般的です。

また市場全体の人気を示すのが、出来高（売買代金）回転率です。市場規模に対して出来高がどのくらいの水準に達しているかをみるもので、算式は出来高回転率＝（出来高×立会日数÷上場株式総数）×一〇〇、売買代金回転率＝（売買代金×立会日数÷時価総額）×一〇〇ですが、立会日数は通常三百日とすることが多いようです。この出来高回転率は経験的に二〇％台は人気離散もほぼ下限に近づいており、一〇〇％を超えるようなら人気過熱を示すとされています。

ボリューム・レシオ（出来高比率）を用いて相場の流れをとらえる手法もあります。ある基準日以降二十五日間の株価が上昇した日の出来高合計を分子とし、値下がりした日の出来高合計を分母にして比率をはじいたものです。これが四五〇％を超えると天井が近いことを示し、逆に七〇％を下回ってくるようだと相場は底値圏に届いたことを表わすといわれています。

信用取引のカラ売り比率もよく使われます。算式は（各証金の貸株残高÷出来高）×一〇〇ですが、

六日移動平均として用いられます。カラ売りは相場の上昇過程で減少、下降過程で増加するわけですから、この比率が一〇〇%を超えるようなら底値圏、二〇%以下なら天井圏と判断されることが多いようです。このほか、信用取引の回転具合をみるために融資新規回転日数（融資残株数÷融資申込株数）が利用されます。これは、回転日数が長い場合は信用取引面での人気が盛り上がっておらず、逆に短い場合は利食いの回転が効いていることを示すわけですから、経験的にはこの比率が十日程度で過熱感、三十日以上では底値感が出てくるようです。

市場の人気を表わす指標としては値付き率もあります。当日の商い成立銘柄数を上場銘柄数で割って計算しますが、株価上昇過程ではこの値も高くなる傾向にあります。六日移動平均でみて、九〇%超は過熱ゾーン、七〇%割れは人気の底とされています。新高値比率は当日の商い成立銘柄に占める新高値銘柄の比率ですが、六日移動平均でみて五%を超すようなら、市場の人気化を示すことが多いようです。また基準日以後、毎日の値上がり、値下がり銘柄数の累計の差をグラフ化したものを騰落株線といい、平均株価と連動させて先行指標として使われます。おおむねこの指標の上昇は株価の上昇を先見するようです。

次に相場の性格を表わす指標として、一株当たり単価（売買代金÷出来高）があります。これが上昇しているなら値がさ株への人気、逆の場合は低位株人気を表わします。先導株占有率も同様に相場の性格をみるのに有効な指標で、算式は大商い上位十傑の出来高合計÷全体の出来高で、この比率の高低は相場の人気が分散しているのか集中しているのかを示します。通常三〇%台ですが、五〇%ラインに達すると人気集中に対する過熱感が発生しがちです。

?35 出来高、時価総額とは何ですか

出来高は取引所で売買された株式数、売買代金は上場株式数に株価をかけたもの。ともに市況の重要な指標です。

証券取引所では休日、毎月の第二土曜日を除いて毎日株式が売買されていますが、その取引所内で売買された株式数を出来高といいます。もっと専門的に説明すると、売り方から買い方に渡った株式数が出来高であり、それと引き換えに買い方から売り方に渡されたおカネが売買代金です。たとえば、売り千株に対し買い千株で商いが成立した場合、出来高は千株というわけです。このように出来高を表示することを片道計算といいます。証券取引所が毎日公表している出来高はこの計算にのっとっています。

出来高は市況の重要な指標で、株価動向とともに注目しておく必要があります。現実に取引されている株式数ですから、現在の市場動向をみるうえで重要なポイントになります。一般的に、株価が上昇傾向にある時には出来高は増え続け、その半面、下降または低迷している時には減ることが多いようです。

東証第一部の一日平均出来高の推移をみると、過剰流動性時代といわれた四十七年に三億二千万株を記録したあと、四十九年に一億七千万株に落ち込みましたが、五十三年以降、高水準となり、五十六年には三億八千万株と最高を記録しました。この年は外人の大量買いを背景に大商いが続き、一日

で十三億株を超える史上最高の出来高の日も出現しました。五十八、五十九年の両年は三億六千万株となっています。日本経済新聞では出来高の多い上位十銘柄を「大商いの株」として毎日紙面に掲載しています。これによりその日の市場人気や特徴などを知ることができます。

出来高と並んで時価総額も株式の重要な指標です。時価総額は証券取引所で売買された株式の値段（終値）を上場株式数にかけて計算します。ですから一般に発行済みの株式を時価で評価したものといえます。株式会社の場合、その会社を支配、経営し、利潤を配当という形で分配し、さらに会社を解散させる場合は残余財産を受け取る権利が株主にあります。ですから、全株式の評価額は、その会社の評価額でもあるとみることができるわけです。

このような各社ごとの時価総額を合計したものが、株式市場の時価総額となります。時価総額という場合は、ふつうこの株式市場の時価総額を指します。たとえば東京証券取引所の第一部、第二部合計の時価総額は六十年八月末で百八十二兆三千億円です。東証上場の全銘柄の個別の終値にそれぞれ上場株式数をかけ、それを合計すればその日の時価総額が出るわけです。

この時価総額はその株式市場の規模を表わすものですが、その動きによって株式相場の推移をみることもできます。株価が上がれば当然時価総額も大きくなるわけですが、なかでも上場株式数の多い銘柄、たとえば新日本製鉄、三菱重工業など大型株が高くなると、時価総額の増加額はとりわけ大きくなります。東証の時価総額は新聞に掲載されていますから、簡単に調べることができます。

? 36

日経平均とはどのような指標ですか

米国のダウ・ジョーンズ社が開発した方法によって計算した日本の平均株価の指標です。

「きょうは株が高かったか、安かったか」ということは、日経平均が上げたか下げたかということと同じ意味をもっています。日経平均（ダウ式修正平均株価）は、日本の株式市場を代表する株価指標といっていいでしょう。正式には「日経平均株価」といいますが、この指数が取り入れられたのは戦後のことです。もともと「ダウ平均」の計算方法を開発したのは米国の経済紙『ウォール・ストリート・ジャーナル』を発行しているダウ・ジョーンズ社でした。同社はそれまで単純平均の株価を発表していたのですが、増資などで権利落ちがあると株価が下がり、継続性に問題が出てきました。こうした欠点を除くために、「ダウ・ジョーンズ平均算式」という修正計算方式を取り入れたわけです。そして一九二八年に工業株三十種の修正平均を発表しました。これが今日のニューヨーク株を代表する指数になりました。

わが国でこの「ダウ・ジョーンズ平均算式」を使った平均株価が計算されるようになったのは、昭和二十五年九月七日からです。この時から二百二十五銘柄を対象にした「株価平均」が発表されるようになりました。その後二十七年一月に、取引所再開以来の継続性のある数値にするため、二十四年五月十六日にさかのぼり、同日の二百二十五銘柄の単純平均百七十六円二十一銭を基準とする東証株

価平均に切り替えられました。名称はその後、東証修正株価平均、ＮＳＢ二百二十五種平均、日経ダウ平均株価と変わり、六十年五月一日からは日経平均株価となりました。

日経平均の計算方法は、東証第一部の二百二十五銘柄の株価を合計し、これを「除数」で割ればよいわけです。たとえば、ある日の株価合計が十二万円になり、除数が一〇なら、日経平均は一万二千円ということになるわけです。また同じ除数の日に、ソニーが三百円高を記録した時は、日経平均にはソニー一銘柄で三十円の影響があったといえるわけです。ただし、五百円額面の銘柄は五十円額面に換算しますので、その点は注意が必要です。

つまりこの計算方式のポイントは除数にあります。除数は二百二十五銘柄について増資などの権利落ちがあると、そのつど計算し、権利落ちによる株価の下落を修正しているわけです。権利落ちがあるたびに除数は小さくなっていきます。またダウ倍率というのは、二百二十五種の単純平均の何倍に日経平均がなっているかということを示す数字で、そのこと自体にそれほど大きな意味はありません。また三月末、九月末の配当落ちの際には「配当落ちによる影響」も試算されます。これは配当分をそのまま落とせば、日経平均はこのぐらい下がるという計算です。ですから短期間に「落ち分」を埋めるようだと堅調な相場だといえましょう。なお、日経平均は九時十五分、十時、十一時、十三時十五分、十四時、十五時の一日六回（半日立会いは三回）発表されます。

ただ、こうした日経平均も、新しい産業の有力銘柄が対象に入らないなどが指摘されてきました。そこで対象銘柄を五百銘柄に広げ、市場の実勢をより幅広く反映する指標として日経五百種平均株価が発表されるようになりました。この指数も毎日の日本経済新聞に掲載されています。

?37

株価の動きを示す指数にはどのようなものがありますか

東証株価指数、加重株価平均、単純平均株価などがよく利用されます。

日経平均については前に説明しましたが、その他の株価指数としては東証株価指数があります。現在、東証第一部、第二部（総合）の指数が発表されていますが、この指数の計算方法は上場株式の時価を合わせた時価総額を基準時（四十三年一月四日）の時価総額で割り、一〇〇をかけて算出します（新株落ちがあった時は基準時の時価総額を修正します）。つまり、基準時に比べて上場会社全体の値打ちがどのくらい伸びたかを指数で表わし、それの比較によって市場人気の盛上がりや後退を知ろうという指数です。日経平均が大きい会社も小さい会社も同じ基準で株価を合計してしまうのに比べて、この指数は時価総額を基準にするため、トヨタ自動車や東京電力などの大きい会社の株価が動いた時の方が、相対的に数値の変動が大きくなるわけです。

東証株価指数には大型株（上場株式数二億株以上）、中型株（同六千万株以上二億株未満）、小型株（同六千万株未満）の規模別の指数も算出されています。四十三年以後の動きをみると、四十四年後半から四十五年はじめにかけて小型株が急ピッチで上げたこと、四十七年末から四十八年はじめにかけて、大型株の指数が三つの指数のなかで最も高くなったことなどが目立ちます。このあと、五十年からは小型株の上昇が目立ち、特に五十三年に急騰、五十八〜五十九年春にかけても上昇が目立って

います。大型株は五十三年以降ジリジリと上げ、五十六年も堅調な動きです。五十九年春にかけても上げましたが、小型株ほどの上昇ではありませんでした。六十年に入ってかなり巻き返しています。またこの指数では、二十八業種にわたって指数が計算されています。

東証株価指数と同様に時価総額をベースに算出する株価指数として、「加重株価平均」があります。この算出方法は時価総額を上場株式総数（五十円換算）で割ったもので、わかりやすく言うと「五十円当たり時価」といえましょう。平均的な株主の株価の実感に最も近いといえるかもしれません。これも東証株価指数と同様、規模別、業種別の指数が計算されています。なおこれと似た言葉で「加重平均利回り」というのがあります。これは配当金総額を時価総額で割り、一〇〇をかけたもので、単純平均と平均配当金から算出したいわゆる平均利回りより、東証第一部の場合はやや高くなっています。

このほか、単純平均株価もよく使われる指数です。この場合は対象会社の株価を合計して会社数で割れば簡単に求められます。東証第一部、第二部とも全銘柄（大証は第一部三百種）の単純平均が新聞に掲載されていますが、この指数のいい点はやはりわかりやすい点でしょう。また株価を予測するうえで単純平均の動きを重視する人も少なくありません。単純平均は当然のことですが、値がさ株が大きく動いた方が指数の変動が大きくなります。そうなると単純平均が高値をつける時は、値がさ優良株が人気の中心になった時ともいえましょう。「相場の質」としては最もよい時期だともいえます。また単純平均の上昇、下降が景気の転換点に先行ないし一致している点を指摘する人も多く、景気指標としても注目されています。

?38 株式市場での需給関係とはどういうことですか

市場に出てくる「売り」と「買い」の関係で、株価を予測する重要な手がかりです。

長い間、株式相場を見続けた人のなかには「株価は結局、需給関係で決まる」という人が少なくありません。たしかに短期、中長期の株価予測を行なう場合でも、需給関係の予測をできるだけ正確にしておけば、当たる確率が高まるということはいえそうです。需給関係というのは「売り」と「買い」の関係です。もちろん「売り」や「買い」が増えたり減ったりするのは、金融情勢のほか景気や企業業績によるわけですが、各投資部門ごとの資金事情などを考えながら、株式市場に入ってくる資金が増えるか減るかを予測するのが、株式需給面からの分析といえましょう。

具体的に需給関係を考える場合には、①外人投資家、②投資信託、③生命保険、④銀行などの金融機関、⑤事業会社、それに⑥個人投資家の動きとして信用取引の動向を考えておけば十分です。各投資部門とも売越し、買越しどちらの要因にもなりますが、そのほか供給のみの要因として増資や転換社債発行の動向を考えておかなければなりません。増資や転換社債発行が行なわれると、その分、株式市場から資金が吸い上げられるからです。こうした投資家の売越し、買越しの数字を予測できたらそれをたし合わせ、需要の方が多いようだと、株価が上がると考えられるわけです。

投資家別の動きを予測するといっても、予測である以上、なかなかむずかしいものです。ただ投資

信託が株式を買い越してくるかどうかは、株式投信の募集状況が好調かどうか、あるいは株式投信の株式組入比率が低い水準にあるかどうかなどで、おおよそ見当がつきます。また外人投資家の場合も円相場が上昇傾向にあるかどうか、オイルマネーの動向、資金の運用姿勢などによって、売越しか買越しか判断がつく場合が多いといえましょう。しかも投資信託、外人投資家に共通することは買越し、売越しが相当期間続くことです。一年以上続くことも珍しくありません。

事業会社も金融情勢しだいで相当激しい動きをみせることがあります。金融緩和で銀行などから借入れを増やすよう要請を受けると、事業会社は余資を株式市場で運用することもよくあります。このほか、銀行や生命保険、損害保険の売り買いも大きなものです。最近はカネあまりで株価の下支え要因となっているケースが目立ちます。

一方、増資についてはその年のだいたいの傾向はわかりますし、予測に比べそう急激に増えたり減ったりするものでもありません。また短期的には信用取引の買いの動向も大きな影響を与えます。東京証券取引所では、総合証券二十社ベースでの需給動向を投資部門別に集計していますが、そうしたデータを参考にすれば、需給面からの株価予測をすることができます。

需給動向を把握すれば、株価の性格を見通すうえでも非常に役に立ちます。五十三年は投資信託の大量買越しで薬品株が軒並み上げました。さらに五十五、五十六、五十七年後半からの外人買いでは電機株が大幅高となりました。五十九年以降は外人が売越し基調となる一方で、銀行や機関投資家の買いが活発化、金融機関の動向が相場を左右するようになっています。

？39

ケイ線とは何ですか

株価の動きをグラフ化したもので、「ローソク足」といわれるものが最も一般的です。

「相場は相場に聞け」という相場の格言があります。株価を動かすような情報を集め、会社の財務分析をしても、株式投資でもうかるとは限りません。どんな好材料でも、株価がすでに織り込んだあとでは、あまり反応をみせないのがふつうです。

こうしたことから、株価の動きをみて、その勢いやもみあいの状況などから、株価の先行きを予想しようというのがケイ線の考え方です。しかし、株式投資の経験の浅い人がケイ線を利用しようとしても、なかなかうまくいきません。そうした人は、まず株価のグラフをよくみることが、ケイ線入門ということになるでしょう。グラフをみて、「株価にはまだ勢いがある」とか「この急騰は上げ過ぎ」とか感じれば、あなた自身のケイ線論ができつつあると考えていいでしょう。

そうしたことに慣れてきたら、ケイ線に関する本を少しずつ読めばいいのです。その手がかりになる基礎的な知識を一、二あげると、次のようなものになります。まず、新聞紙上でよく見受ける株価のグラフです。ふつうは白と黒の線で表わしたグラフがよく使われていますが、これは「ローソク足」といわれるものです。

「ローソク足」は始値と終値で白ないし黒色の「実体」の部分を書き、始値、終値より高い値、安

い値は「カゲ」(細い線)で表わします。この形がローソクに似ていることからこの名前がついています。始値より終値が安く引けると黒色で表わし、逆に始値より終値が高く引けると白色(赤色の場合もある)で表わします。前者が陰線、後者が陽線と呼ばれています。

陽線は基本的には上昇相場を示し、陰線は下げ相場を示します。たとえば週足(一週間の株価を一つの単位にしてグラフにするもの)で陽線が続いていたところへ、突然長い陰線が出たような場合、株価の先行きを考え直すヒントを与えてくれます。

また、カゲの部分については、「上カゲ」といって実体の上へつき出ている線が長い場合は相場は弱いといわれ、反対に下へ出ている「下カゲ」が長い時は相場の地合は強いといわれています。さらにカゲが上下とも出ないのを「丸坊主」と呼んでおり、「陽の丸坊主」が底値圏で出たり、「陰の丸坊主」が上値で出た時は、それぞれ転機を示す公算が大きいといわれています。

このほか、下値の支持線、上値の抵抗線の考え方も初心者向きでしょう。たとえばある銘柄が上値は五百円、下値は四百円の間で上下しているとしましょう。この場合、五百円が上値の抵抗線、四百円が下値の支持線となります。この場合、好材料などの支援で株価が五百円を上へ抜けたとすると、今度は五百円が下値の支持線に変わることがよく見受けられます。逆に四百円を下回ると、こんどは四百円が上値の抵抗線になるというわけです。

また三尊形、逆三尊、二重天井、二重底といった言葉も専門家の口から出たりしますが、これらはいずれも、相場の転換点を示す典型的な形で、米国でもヘッド・アンド・ショルダーズ(三尊形)、ダブル・トップ(二重天井)など似たような解釈が行なわれています。

?40 移動平均線とはどのようなものですか

株価の中長期的な動きをみるためのもので、いろいろな期間のとり方があります。

目先のできごとに一喜一憂するのが人の常ですが、株式市場でも日々の株価の値上がり、値下がりに、とかく目を奪われがちです。しかし、株式投資によって一定の成果を得るためには、目先の株価の変動にあまり振り回されるようではうまくありません。そこで、短期的な株価の動きだけに惑わされず、値上がり、値下がりの中長期的な趨勢をみようとする場合に、移動平均線が使われます。

移動平均線というのは、過去何日分かの株価の平均値を計算して折れ線グラフにするもので、期間の取り方によって、短期線（六日、十二日、二十五日、三十日など）、中期線（十三週、七十五日、八十日）、長期線（二百日、二十六週）などに分けられます。実際に株価移動平均線を使って今後の株価の動きを予測しようとする場合には、移動平均線が上昇傾向にあるのか下降傾向にあるかということと、日々の株価との離れ具合がどうなっているかということが、重要なポイントとなります。

米国の証券分析家グランビルは、二百日移動平均線と日々の株価の関係から売買のタイミングを決める次のような基本的法則が成り立つといっています。それによると、重要な買いのタイミングを示すのは次の四つの場合です。

①二百日移動平均線が下がり続けたあと、横ばいあるいは上昇に転じた時点で株価（日々線）が平

均線を下から突き抜けた場合。②移動平均線が上昇を続けているのに、株価が移動平均線を下回っている場合。③株価が移動平均線より上にあり、平均線に向かって下がったものの、両方が交差せずに株価が再び上昇した場合。④移動平均線が下がっている時に、株価が移動平均線と大きくかけ離れて下がった場合。

これに対して、売りの時期として次の四つの場合を示しています。①二百日移動平均線が上昇のあと、横ばいになるか下降に転じ、株価がその移動平均線を下回った場合。②移動平均線の下落が続いている最中に、株価が移動平均線を上回った場合。③株価が移動平均線に向かって上昇したものの、結局上回ることができず、再び下がった場合。④移動平均線が上昇している時、株価が移動平均線を大きく上回って上昇した場合。

一方、株価は中期的には上昇（下降）を続けている場合でも、あまりそのピッチが速いと一時的に下がる（上がる）といった動きが出てくるのがふつうです。株価を移動平均株価で割って百分率で示したものを乖離度といいますが、これで株価と移動平均線の離れ具合を測って、その時期をみつけようとするわけです。

この乖離度がどのくらいになれば反転のメドとなるのかは、理論的に計算できるわけではありません。ただ経験的には、たとえば日経ダウ平均とその二十五日移動平均線の場合には、二十五日線が上昇している時は一〇〇から一〇五％、下降している時は逆に一〇〇から九五％の間に収まっていることが多いようで、これが一つの目安とされています。つまり、上下五％以上、二十五日移動平均との乖離ができると反転する公算が大きいといえるわけです。

?41 株価収益率（ＰＥＲ）とは何ですか

株価を一株当たり年間利益（純利益÷発行済み株式数）で割ったものです。

証券取引所に上場しているたくさんの銘柄のなかから、投資する銘柄を選び出そうとする場合には、何か〝モノサシ〟が欲しくなります。

株価収益率（プライス・アーニングス・レシオ）はそんな時によく使われるモノサシの一つで、株式市場ではＰＥＲとか単にレシオなどと呼ばれています。株価収益率とは、ある銘柄の株価を一株当たりの年間利益で割って算出します。たとえばＡ社の株価が三百円、一株当たり利益が十五円とすれば、三〇〇÷一五＝二〇、つまり二十倍というわけです。

一株当たり利益はある期間の純利益（年換算）を発行済み株式数で割ったもので、その会社の収益力を表わす数字ですから、結局株価収益率とは株価と収益力の関係を測るモノサシということになります。ですから、この倍率が小さければ、収益力に対して株価が比較的低いことを表わしており、逆に収益力が低い割合に株価が高ければ、倍率が大きいということです。

もともとＰＥＲは米国で使われていたモノサシでした。米国でも古くは利回り（配当÷株価）が一般的に用いられていたのですが、将来の増配の源泉となる利益成長を重視すべきだとの考え方から、急速にＰＥＲの地位が高まったものです。また、米国では企業の資金調達方法としては、金融機関か

らの借入れよりも増資等の直接調達が一般的です。このため、株主にとって実質的な増配効果をもつ増資もひんぱんに行なわれるわけで、そうした可能性をも織り込んで増資する際には、ＰＥＲの方が利回りよりも有効との見方が広がりました。

わが国でＰＥＲが一般的に使用されるようになったのは、昭和四十年代以降です。このころ盛んになった外人投資がＰＥＲをモノサシにしていたこと、高度成長期を迎え、わが国の企業も利益が高成長を続け、増資もひんぱんになったこと、などがその背景だったようです。

ただ、株価収益率とはどのくらいの水準が妥当なのかということになると、絶対的なよりどころはありません。この点、利回りが一般の金利水準から高低を判断できるのとはやや事情が違います。このため、株価収益率をモノサシとして使う時には、業態の似かよった銘柄、あるいは平均株価収益率と比較することが必要となります。大和証券が算出している東証第一部二百二十五種平均の株価収益率の最近五年間の推移をみると、最も低い時で二十一倍台、最高の時で三十四倍台で六十年に入って三十倍台の株価収益率が定着するなど傾向的に上昇しているのが特徴です。

また株価収益率は株価のモノサシとしてよく利用される時期と、まったくかえりみられない時期とがあります。特に金融引締策がとられる時とか、景気の先行きが見通し難となった時には、株価収益率だけでは判断がむずかしくなってきます。

? 42 株価純資産倍率（ＰＢＲ）とは何ですか

株価が一株当たり純資産の何倍になっているかをみる指標で、投資の一つの目安になります。

株価純資産倍率（price book-value ratio）とは、株価が一株当たり純資産の何倍になっているかを見る指標です。株価は時によると仕手人気や買占めなどで急伸する場合がありますが、株価純資産倍率がどうなっているかに注意しておくと、高値づかみを防ぐこともできるわけです。

たとえば誠備グループの買占めで上げた宮地鉄工所は、一株当たりの純資産がせいぜい百三十円程度の会社でしたが、昭和五十五年には株価が二千九百五十円にもなりました。株価純資産倍率が二十倍を上回ったわけです。一般の投資家が手を出せるような水準ではありません。事実このあと宮地鉄工所は二百円台にまで急落して、大阪証券信用の経営行詰まりという大問題を引き起こしました。宮地鉄工所は特殊なケースともいえますが、株価純資産倍率が五倍とか十倍とかになる銘柄はよく見受けられます。

それでは株価純資産倍率はどの程度が適当なのかというと、別段基準が決まっているわけではありません。ただ東京証券取引所の谷村理事長が衆議院の大蔵委員会で、「一株当たりの純資産に対して二倍ぐらいが通例」といって、好ましい株価水準を示したことがありました。この考え方に基づくと、一株当たり純資産が二百円の銘柄なら四百円程度がほどよい水準ということになりましょう。こ

のため二倍を大きく割り込んでいるような銘柄なら、相対的に割安という見方もできるわけです。純資産というのはバランスシートのうえでいわゆる自己資本に当たる部分で、その会社の解散価値ともいえるわけですから、株価が一株当たりの純資産を下回ることはそう多くありません。それだけに株価純資産倍率が一倍そこそこにまで下がってくれば、買いのチャンスが近づいたということもできましょう。反対に株価純資産倍率が五—六倍と高くなってくると、警戒も必要になってきます。

一方、こうした株価純資産倍率は個別の銘柄だけではなしに、株式市場全般の動向を知るうえでも重要な指標になります。たとえば東証第一部全銘柄の株価純資産倍率（大和証券調べ）をみると、四十年代のピークをつけた四十八年一月に二・八九倍に達しています。このあと石油ショックで大きく下げたわけですが、四十九年十月には一・五四倍とここ十年ほどの間の大底を記録し、あと再び上昇しています。六十年六月には三・〇一倍とこれまで警戒ラインといわれてきた三倍の壁を突破しました。

ただこの指標でむずかしい点は、インフレで土地などの価格が大幅に上がり、含み資産が大幅に増えている企業でも、同じモノサシで処理している点です。たとえば東京の丸の内地区に広い土地を所有している三菱地所や、株式などで大きな含み益のある東京海上火災保険などの純資産を、どのように考えるかという問題です。そうした会社を除くなら、やはり株価純資産倍率が一倍そこそこというのは買いのシグナルとなるケースが少なくないといえましょうし、特別の材料もないのに三倍を大きく上回ってきた時は、上げている理由をよく調べる必要がありましょう。さらに五倍、六倍になってくると、注意して株価を見守る必要があるともいえます。

4
増資と減資

?43 増資に応ずるにはどうすればよいのですか

増資の方法——有償か無償か、株主割当か公募かなど——によって手続きも違ってきます。

増資への応じ方は、増資の種類（形態）や、すでに株主になっているかあるいはまったく新規に株主になろうとするのかによって、手続きも変わってきます。増資を形態別に分けると、払込みを要するか（有償増資）否か（無償増資）に大別されます。このうち有償増資も、①既存の株主に増資新株の引受権を与える方法（株主割当）と、②新株引受権を限定せずに一般から募集する方法（公募増資）、さらに③株主以外の特定の人たちに新株引受権を与える方法（第三者割当）——などに分類されますが、③は別に述べますので、ここでは①と②について説明します。

株主割当は、会社が増資新株を発行する場合、従来からの株主に限って割り当てる最も一般的な方法で、額面（五十円が中心）による払込みがふつうですが、時には時価と額面の中間の中間発行も行なわれます。上場会社は、新株発行取締役会で増資を決定すると、ただちに証券取引所へ報告すると同時に記者発表し、株主に対して決議通知を発送します。九月末割当のケースを前提にして、その日程、手続きをみてみましょう。

企業の大小、つまり株主数の多い少ないにもよりますが、会社は割当株主をはっきりさせるために、割当日の直後（十月一日）から株主名簿を閉鎖し、一、二カ月の間に株主名簿の書換作業をしま

す。そして、割当株主がわかれば、ただちに株式申込証などを株主に送るわけですが、その発送は申込日の二週間以上前と決まっています。しかも、申込みの期間はふつう十日間で、申込みの最終日と払込日の間も五〜十日の余裕をみなければなりません。

増資に応ずる場合は新株の引受申込み→払込みということになり、たとえば半額増資なら持株（一万株）の半分（五千株）に応じた金額（二十五万円）を、取扱い銀行に払い込めばよいわけです。しかし応じたくない時とか、あるいは資金的に払込みに問題があるような場合には、申し込まなければよいわけです。申込みのなかった株式は、ふつう「失権株」として再募集することになります。したがって、株主でない人でも、失権株の申込期間が払込日の前に数日間設けられますから、この時に応ずればよいわけです。ただし、失権株の募集は一般公募とほぼ同じですから、「時価（その時の株価）を基準とした額面以上の価格」で買うことになり、額面で手に入れることは不可能です。

株主割当増資に比べ、公募増資は既存株主に限らず広く一般から募集するもので、額面ではなく時価発行となるのがふつうです。ただ五十八年から、大株主や特定の取引先などに発行株数の二〇％の範囲内で引き受けさせる、いわゆる親引けは原則禁止となりましたが、従業員持株会に三〇％の範囲内をメドに売り渡すことがありますから、公募分のすべてが一般募集になるとは限りませんが、株主でなくても自由に応募できるわけです。発行会社は払込日の二週間以上前に公募価格などの公募条件を通知しますから、これをよくみて応募することが大切でしょう。公募価格は、時価より三〜四％下になるのが通常ですから、あらかじめいくらくらいになるかはおよそ見当をつけることもできるわけです。以上の手続きは、発行会社か引受証券会社にたずねれば詳細がわかります。

?44 時価発行ができるのはどのような会社ですか

収益力が高く、増資プレミアムを将来にわたって株主に還元できる有力企業です。

ひとことでいうと、収益力が高い有力企業で、時価発行増資に伴う利益を株主に還元できるところということになります。規則めいたことを説明する前に、最近の例をみるだけでもよくわかります。

最近の大型時価発行の代表例としては、富士通の四千八百万株公募（五十九年八月払込み）があります。公募価格が千二百六十五円でしたから、実に六百億円余りの資金を一気に調達したことになります。ちなみに調達金額で過去最大の時価発行はトヨタ自動車（旧トヨタ自動車工業）が五十六年七月払込みで行なった七千万株公募で、九百九十億円にのぼります。また発行株数では東京芝浦電気（現在東芝）が五十六年九月払込みで行なった二億株公募がこれまでの最高です。この増資の公募価格は四百八円で調達金額は八百十六億円とやはり巨額でした。

こうした例はエレクトロニクスをはじめ、高成長業種の有力企業であることが共通点です。最近では高成長産業ではない業種、企業でも時価発行する会社が増えていますが、高収益会社であることには変わりありません。それというのも、時価発行の定着に伴い、四十八年二月に「時価発行増資に対する考え方」として、自主ルールを決めているからです。その骨子は、①一株（額面五十円）当たり配当が増資直前期で五円以上、一株当たり税引利益も同十円以上であること、②増資後も経常利益が

直前期を上回るなど、収益動向が増益基調であること――というものです。さらに時価発行で得たプレミアム（額面と公募価格との差）の株主還元策として、増資プレミアムは五年程度で全額資本金に組み入れる（株主に無償で返す）などのルールもあるからです。

このような自主ルールを設けたのは、時価発行後、会社の収益状態が悪化して株価が下がり、配当も減るというような事態になっては株主に損害を与えることになりますし、ひいては株式市場への信頼感も薄れることが予想されるからです。ところが増資後、好収益が続いてもプレミアムをルールどおりに還元しない会社が一部に出てきました。このため株主への利益還元を中心に自主ルールの見直し機運が強まり、五十五年十月から新しい自主ルールに改められました。その柱はプレミアム還元の方法として配当性向を重視するというものです。つまり企業が配当性向主義による還元方式をとれば増資後一定期間、公約した配当性向を基準に配当を行なうことになり、利益が増えれば増配で還元するようになります。

五十九年度に公募増資を行なった百二十七社について調べてみると、この方式をとったのは東京エレクトロン、アルプス電気、サンリオなど収益力の高い超優良企業中心に三十三社にのぼっています。また配当性向基準と無償を組み合わせた還元方法の採用も富士通、日本光学工業などの有力企業をはじめとして七十五社と多く、この新ルールは定着してきたといえます。ちなみに、六十年になって財界からプレミアム還元ルール撤廃論が強まり、さらにルール緩和に向けて見直しが行なわれています。

なお五十七年十月から施行された新商法では、増資による発行額の二分の一以上を資本金に組み入れることになりました。

?45 第三者割当増資とはどのようなものですか

発行会社と特別な関係にある人や法人に引受権を与えて新株を発行することです。

第三者割当増資とは、発行会社となんらかの特別の関係にある人や会社、たとえば役員、取引先、銀行などに引受権を与えて新株を発行することをいいます。

以前は第三者割当増資をするには株主総会の特別決議が必要でしたが、その後の商法改正で、新株の発行価格が特に有利でない限り、取締役会の決議でできるようになりました。このため、第三者割当増資が比較的簡単にできるようになり、①収益力が低く株価が低いためふつうの増資ができない時や、②取引先や提携先との関係をより強固にする時――などに行なわれるようになりました。前者の例としては、経営不振の会社が再建策の一手段として行なったり、上場資格を維持するために行なうケースなどがあります。

一方、後者の例として最も有名なのは、六十年八月に事実上倒産した三光汽船が四十六年末から四十九年はじめにかけて盛んに行なった積極的な第三者割当増資があります。この二年間で同社は四回の第三者割当増資を行ないましたが、割当先は主力銀行など金融機関と造船会社を中心とするものでした。三十九年の海運集約に参加しなかった同社は、タンカー中心に所有船舶の拡張を図ってきたわけですが、それを実行するためには造船会社との関係を密接なものにしておく必要があり、多くの建

造費用を必要としていたためでした。

この三光汽船の戦略はこの時点では経営的に大成功を収め、同社の株価も一時二千円を大きく超えるなど「三光汽船の高株価経営」として一時代を形成しました。しかし、既存の株主や割当てを受けない一般株主（これから投資しようとしている潜在投資家も含めて）の側に立ってみれば、問題点をはらんでいるとみられています。第三者割当増資を相次いで行なうと、既存の株主にとって将来の増資期待が薄められてしまうでしょう。株価との関係では、第三者割当増資をしたからといって株価が上下するというものではありません。しかし、発行価格によっては既存の株主の財産価値を薄めることになります。一般的な例でそのへんの事情を説明しましょう。

たとえばある会社の株主がA、B、Cでそれぞれ一株ずつ所有していたとします。株価が千円だったとすれば各自とも千円の株式の財産を持っていることになります。そこへ第三者割当増資による新株を六百円でDに割り当てた場合、増資後の一株ずつの各株主の価格は九百円になってしまいます。

（1,000円×3人＋600円）÷4人＝900円

既存の株主は時価千円だったものが九百円に財産の価値が減り、割当を受けたDは六百円を払い込んだだけで九百円の財産価値を手に入れることができるのです。発行価格はまったく時価と同一であればこうした問題は起こりません。時価よりも不当に低い価格で第三者割当増資が行なわれれば、既存の株主を犠牲にして第三者に利益を与えることになってしまうのです。このため、特に発行価格が時価に比べて低い場合には、株主総会の特別決議を必要としているわけです。

?46

無償増資はどのような目的で行なわれるのですか

株主に報いるのが主な目的ですから、必ず株主に割り当てられます。

無償増資とは、新株を割り当てた人から資金を徴収しない増資をいいます。割当を受けた人はタダで株式をもらえるわけです。有償割当増資や第三者割当増資など、有償増資は資金を調達することが目的で行なわれますが、無償増資は主に株主に報いるために行ないます。したがって、有償増資の割当が既存の株主以外にも割り当てられるのに対して、無償増資は必ず株主に割り当てられるのが特徴です。もちろん、業績の見通しが暗い時に、無償株をもらっても、株券が増えるだけで、株主の利益につながらないこともあります。

無償増資については従来、資本準備金を資本金に組み入れる形で行なわれるのが一般的でしたが、五十七年十月から施行された新商法で時価発行増資の際の資本金への組み入れが発行価格の二分の一以上になったため、資本金のうち額面金額を超える部分を無償増資の原資とすることもできるようになりました。ただこの場合、資本金は増えないので厳密には無償交付と呼ぶべきでしょう。このほか利益準備金を原資とした無償増資がありますが、税法上配当とみなされ課税されるので、きわめて例は限られています。五十九年度についてみると、資本準備金を原資とするのが百五十七社、額面超過額を原資とするのが百八十九社、利益準備金での無償はゼロとなっています。いずれにしても、株主

にとっては無償で株がもらえますし、無償後の一株当たりの配当率が変わらなければ、株数の増加に伴い受け取る配当金も増加するので、無償増資は歓迎されます。無償増資の幅は資本金の何割という形で決められ、一割の幅ならば「一割無償」、二割ならば「二割無償」といいます。また、資本金の端数調整のためにしばしば行なわれる二分とか三分の幅の無償増資を、「小幅無償」と呼んでいます。

無償の源泉になるのは、ほとんどが時価発行増資に伴う増資プレミアム（額面を超過して資本金や資本準備金になる部分）の積立といえるでしょう。時価発行増資は四十七年ごろから盛んになりましたが、時価発行をした会社のなかにはその後業績が悪化し株価が公募価格を下回ったり、増資プレミアムをなかなか株主に還元しなかったりする会社も出てきました。

そのため、いまでは時価発行をするためのルールがつくられており、そのなかで株主への利益還元を義務づけています。この申合わせは何度か整備強化され、五十五年十月からは配当性向を重視した利益還元ルールが実施されました。それによると、時価発行に際して会社は増資後一定期間における配当性向の水準を公約し、具体的に発表することを義務づけられています。具体的には①公約した配当性向を厳格に維持して配当する、②無償によるプレミアム還元と配当性向を具体的に公約し、配当性向は弾力的に維持する、③無償によるプレミアム還元を増資後二年以内に一五％以上行ない、その後も一定の比率で還元していく――というもので、会社がそのいずれかを選択することになっています。

無償増資に似たものに株式配当がありますが、これは現金配当として株主がもらう分を株式配当に振り向けただけですから、無償増資ではありません。

?47 増資は株価にどのような影響を与えますか

一般的には増資は株価を押し上げる材料になります。

増資は株価を動かす重要な材料になります。一般的にいって増資は株価を押し上げる材料とみられていますが、すべての増資が好材料となるわけではなく、むしろ増資によって株価が下がることもあります。

増資で古くからある方式は株主割当の額面増資です。この場合は株式の時価が額面より上であれば、株主はコストの低い株式を買えることになります。しかも、その会社の収益見通しがよければ株価は上昇するでしょうから、額面で割当てを受けた株主のメリットはきわめて大きくなります。

また同じ株主割当でも無償増資の場合は、その段階で持っている株の平均コストが低下し、株価しだいでは投資採算が飛躍的に上昇します。したがって無償増資の可能性がある場合、あらかじめ株価は上昇するわけで、株価にとって好材料といえるでしょう。

株主割当の額面増資、無償増資ともに新株の権利落ちという現象があります。割当増資を受ける権利は割当日の四日前に落ちます。そして、それらの株は無償の幅など割当率に見合って下がるのがふつうです。権利落ち後の株価は権利落ち計算値とか、権利落ち妥当値などといわれますが、これは増資権利付き株価を基準に計算した権利落ち後の旧株と新株の平均値段で示されます。たとえば、権利

付き株価が二百円、額面が五十円、割当率が五割だったとすれば、権利落ち妥当値は百五十円（〔200円＋50円×0.5〕÷〔1＋0.5〕＝150円）となります。無償増資の場合も同じように計算されます。

新株の権利を落としても、会社の収益見通しがよければ権利落ち妥当値まで株価は下げないことが多いですし、その後もジリジリ上げる公算もあります。長期的にみても無償増資、額面割当増資は株主にとって有利といえるでしょう。

時価発行増資の場合、株価に与える影響は必ずしも一様ではありません。株式市場では「時価発行公募は売り」といった声も聞かれますが、それは公募期間中は証券会社も積極的にその銘柄を取り扱えないとかの理由からいわれることで、むしろきびしいルールの下で時価発行をするような会社は収益見通しもよいはずですから、株価にとってもプラスとみてよいでしょう。

ところで、増資新株はすでに発行している株式（旧株あるいは新株）と区別して扱われる場合があります。たとえば同じ新株でも新聞紙上に「同新」といった表示で掲載されるものと、そうでないものがあります。これは新株、旧株ともその権利内容には違いがないのですが、配当起算日の違いによってその区別が出てくるものです。決算期の半ばで新しく発行された株式は、その決算期の配当が発行日から決算期末までの日割り計算ではじかれるため、新株と区別して「同新」として新規上場するわけです。それに対して決算期末に発行されたり、決算期中に発行されても配当起算日遡及の措置がとられている場合の増資新株は、旧株への追加上場となり「同新」として新規上場されません。そして「同新」として新規上場したものも、一度決算を経過すれば旧株といっしょ（新旧併合）になります。

?48 減資はどのような目的で行なわれるのですか

累積赤字の解消、配当増加、会社の合併や分離などの目的で行なわれます。

減資とは会社が資本金を減らすことをいい、株主総会の特別決議を必要とします。会社が資本金を減らそうと考える理由にはいくつかありますが、代表的なものをあげてみると次のようになります。

①累積赤字を一気に埋めようとする場合。赤字経営が何年か続き、赤字が累積してしまい、今後も事業から生み出す利益によってはこれを埋めることが不可能と考えられる場合、減資が行なわれます。減資前の資本金と減資後の資本金との差額（減資差益）が累積損の補塡に充てられるわけです。

②配当増加のため。配当金は資本金に対する利益の多少によって決定されますが、資本金の減少により増配が可能となります。また①と組み合わせて、累積損を一掃しておいて、早い機会に復配することも可能となるわけです。

③多過ぎる資本金を適正規模にする場合。会社を創立する時は多額の資金を必要としますが、事業が軌道に乗り、事業目的からみて資本金が多過ぎる場合に減資が行なわれます。

④会社合併のため。合併会社同士で、あまりに資産内容が不均衡の時に行なわれます。

⑤会社の一部門を分離する時。会社の事業部門の一部を分離、独立する場合、分離する資産に応じて資本金を適正な規模にする目的で行なわれます。

資　産 10,667	負　債 8,633	資　産 10,667	負　債 8,633
	資本金 4,000		資本金 2,000
	内部留保 1,107		内部留保 34
	繰越損 ▲3,073		
10,667	10,667	10,667	10,667

減資（半額）前（左）後（右）の貸借対照表。減資差益（2,000）＋内部留保取崩し（1,073）＝繰越損（3,073）。

一般的に減資には形式的なものと実質的なものがあり、形式上の減資は資本金が帳簿上減るだけで、それ以外の会社の財産は減少しないものをいいます。一方、実質的な減資は資本金の減少とともに資本金以外の会社財産も減ります。つまり、すでに発行している株式の一定割合を会社が買い上げたり、額面を小さくしたりして資本金を減少させ、それに相当する分を株主に払い戻します。

経営不振に陥った会社が欠損を埋めるために行なう減資は形式的な減資であり、実際に行なわれている減資の大半はこれです。五十年以降の例としては、五十年に工作機械メーカーの津上（現ツガミ）が行なった減資や五十三年の興人の一〇〇％減資が有名です。津上の場合は赤字経営が長く続き、五十年三月期には資本金四十億円に対して、繰越欠損は三十億七千三百万円にも達してしまいました。別途積立金など内部留保はその時十一億円弱ありましたので、それを全部取り崩して欠損を埋めたのですが、まだ二十億円の欠損が残りました。そこで、同社の大山梅雄社長は会社再建のためには繰越損の一掃が先決と考え、資本金を半分にする半額減資を決めたのです。

津上を例として減資の会計処理を表で示すと上のようになります。津上の場合は繰越欠損に見合う額だけ減資したので、減資差益は残らなかったのですが、減資差益は資本準備金として積み立てることが決められています。

?49 株式分割とはどういうことですか

株主の持ち分を何ら変更しないで株式を細分化すること。株数が増え市場性などが高まります。

ある会社の株を千株持っていたとしましょう。その会社が従来の株式一株を二株に分割したとすると、持ち株数は二千株になります。千株の株主には新たに千株の株券が発行されるわけです。一株を二株に分割するというのは、つまり資本金を変えないで発行株式数を二倍にすることです。

株式分割は五十七年十月からの商法改正によって容易にできるようになりました。それまでは株式の額面（一株五十円とか五百円など）が会社の定款で決まっており、株式分割をするには株主総会を開いて額面変更の手続きが必要だったため、よほどのことがない限り株式分割は行なわれませんでした。ところが、今度の商法改正では時価発行増資の定着などから、額面株式の考え方を取り去り、発行済み株式を取締役会の決議だけで、株券に額面金額の記載されていない無額面株式に転換できるようになりました。無額面化ができれば、株式分割は取締役会の決議で割合簡単にできます。

株式分割をすると、いったいどんなメリットがあるのでしょうか。たとえば一株を二株に分割しても、資本金は変わらず発行株式数が二倍になるだけですから、理論上は株価は半分になります。すなわち株主の資産価値は変わらないはずで、それだけをみると何の効果もないようにみえます。しかし、最近のように株価が上昇し、一株の値段が千円を超える四ケタ銘柄が増えてくると、取引所の売

買単位分（最低一単位）だけで買うとしても相当大きな資産が必要になります。個人投資家の持ち株比率が三割を切ってきた一つの理由には、そうした事情もあります。

そこで株式分割をすることによって株価の水準を下げ、株式を買いやすくするというのが最も大きな効用です。株式が手に入れやすくなれば、多くの投資家が売買に参加し、市場での流通性が高まり、商いにも厚みがでてきます。もちろん分割した分だけ発行済み株式数が増えることも、流通量の増加を促します。これに加えて、株式分割をする会社は配当を分割比率と同じだけ下げないことが多く、その分、実質増配となって株主が優遇されるというメリットもあります。

一方、会社にとっては株式の流通性が高まることで、株式市場からの資金調達がしやすくなるという効果もあります。一株何千円もする株価であれば、時価発行増資する場合、公募に応じてもらえるかどうかといった不安がつきまといますが、株式分割で株価水準を下げておけば、そうした心配は少なくなります。ただ株式分割は無制限にできるものではありません。改正商法では、一単位当たりの純資産が五万円以下（通常一株当たり純資産が五十円以上）にならない場合に限り、株式分割を行なえるとしています。その意味では、株式分割のできる会社は優良企業といえるでしょう。

ところで、無額面で株価の高い銘柄の取引は、税制上額面株式に比べ不利になっています。五十九年八月、京セラは無額面を額面に戻し、株式分割も行なわないことを決めました。他の企業の中にも、これに追随する動きがみられ、無額面株式による株式分割制度は有名無実化する恐れも出てきました。改正商法と税法がこの制度にうまく対応していないわけで、関係法令の整備が急がれます。

5
信用取引とは

?50 信用取引とはどのようなものですか

ふつう三〇%の委託保証金を積み、特別信用は三カ月後、一般信用は六カ月後に決済します。

「好業績が約束されているのであの銘柄を買いたいが、手元に十分な資金がない」、「株は持っていないが、あの銘柄はあまりにも株価が高くなり過ぎたので売りたい」——そんな時によく利用されるのが信用取引です。これは証券会社が顧客に十分な買付資金がない時には資金を貸し、売却株式がない時にはその株式を用立てるという売買制度です。

現在の信用取引制度は戦後、米国の証拠金取引に範をとってつくられたもので、あくまでも取引所で現実に執行される売買、つまり実物取引に基盤をおいています。戦前は実物取引とは離れて価格が形成される清算取引が中心となっていましたが、実物取引に裏づけられているという点で、信用取引は清算取引と一線を画しています。

このように信用取引制度を利用すれば、投資家は少額の資金で株式売買に参加できるわけです。もし現物取引だけの市場ですと、わずかの売り買いで株価が大きく変動する可能性があります。そこに信用取引による仮需給を導入すれば、売買市場の拡大に役立つと同時に、株価形成の円滑化を促すことになります。また信用取引によって「保険つなぎ」をすることも可能です。これは名義書換に出している株に値下がりの危険性がある場合などに、カラ売りすることで名義書換期間中の値下がり損を

回避することができます。

それでは元手の資金がゼロでも信用取引ができるかというと、そうではありません。少額の資金で相当大きい株式売買が可能となるだけに、思惑が裏目に出た時の損失が大きいのも信用取引の特徴といえます。証券会社もそうした損失に備えて、信用取引でおカネや株を投資家に供給する際、投資家から担保をとります。これが委託保証金といわれているもので、その買付代金または売付金額に対する比率を委託保証金率といいます。この比率は原則として三〇％以上ということになっており、株式市場が過熱化したような場合、それを防止するために引き上げられることがよくあります。

委託保証金のなかには最低委託保証金というものがありますが、これは資金の少ない投資家が信用取引に参加するのを防ぐねらいを持っており、四十二年に導入されました。現在最低委託保証金は三十万円となっていますが、大手証券会社では一千万円以上というように独自に引き上げています。

信用取引は一般信用が六カ月、特別信用（指定銘柄でのみ行なわれる）が三カ月決済で、その期間が経過すると投資家は証券会社とのおカネ、株の貸借関係を清算しなくてはなりません。その場合、二つの方法があります。一つは反対売買（カラ買いはその株を売る、カラ売りはその株を買い戻す）です。もう一つは「現引き」（買い方はおカネを出して株を引き取る）、「現渡し」（売り方は手元に株があれば証券会社に渡す）と呼ばれる方法です。

現在わが国の株式市場では売買高の二割強（五十九年東証第一部で二三・一％）を信用取引が占めており、信用取引の株式市場に与える影響はかなり大きいものとなっています。信用取引の六カ月という決済期限に応じて株価が変動することなどもその一例といえるわけです。

?51 信用取引にはどのような費用がかかりますか

委託手数料（往復）、金利、有価証券取引税、管理費の四つです。

「現物株投資をやってきたんだが、どうもモノ足りない。信用取引でスリルを味わおうと思っても、どのくらいコストがかかるか不安だ」という声をよく耳にします。土地取引にしても株式取引にしても、取引にからむ税金、手数料がはっきりしなくては、明確な投資の収支計算は成り立ちません。ことに信用取引の場合、値ザヤだけに気をとられがちなだけに、「値上がり益がとれたと思ったら、経費に足をすくわれて損になってしまった」ということにもなりかねません。

信用取引の経費は委託手数料（往復）、金利、有価証券取引税、管理費の四つからなっています。このうち管理費は、信用取引を開始するに際して、開設された「信用取引口座」の管理に伴う費用で、投資家は信用取引期間が一カ月を超えるごとに、証券会社に対して一株につき十銭を支払います。期限ギリギリの六カ月であれば、一株につき五十銭ということになります（ただし一回分の額は最高千円、最低百円）。

金利も経費の大きな柱ですが、信用取引では買い方は金利を支払うのに対して、売り方は逆に金利を受け取ることが大きな特徴となっています。証券会社から融資を受ける買い方が金利を支払うのは当然だとしても、売り方が金利を受け取るのはどういうことでしょう。それは信用取引の仕組みに基

郵 便 は が き

料金受取人払

168-□□

杉並南局承認

314

差出有効期間
昭和62年3月
31日まで
(切手不要)

(受取人)

東京都杉並区浜田山4-5-5
杉並南郵便局私書箱35号
日経マグロウヒル社
読者サービス・センターNB係行

年間予約購読制。書店ではお求めになれません。
お申込みはこのハガキかお電話で☎(03)380-3157

日経ビジネス NIKKEI BUSINESS 新規購読 資料請求 **申込書**(いずれかに○を)

読者の方々のプロフィールを誌面作りの参考にいたしますので、どうぞ全項目にご記入ください(フリガナも)。
記入もれがあると送本開始が遅れる場合があります。

お名前		フリガナ		年齢 歳
ご自宅住所	□□□-□□ フリガナ			

※「日経ビジネス」を正確にお届けするため「～号室」「～様方」などの表示も忘れずにお書き添えください。

自宅電話 (　　) －	会社電話 (　　) －
お勤め先	ご所属

ご購読期間に☑してください
□1年(30冊)15,000円
□3年(90冊)30,000円
□5年(150冊)45,000円

業種(具体的にご記入ください。)
記入例:(精密機械製造業)

地位役職　1.会長・社長　2.その他の役員　3.部長　4.次長　5.課長　6.係長・主任　7.専門職
(上記の地位・役職は、それぞれに相当するお立場の方も含みます)

職種　1.社業全般 2.総務 3.財務 4.労務 5.営業 6.技術 7.生産 8.企画・調査 9.購買 10.宣伝・広報 11.専門職 12.電算 13.その他

従業員数　人

●対象読者は経営・管理職層及び経営コンサルタントなどの専門職の方。
(このお立場にない方はお断りする場合があります。)

H43－6000

●お支払いは送本手続完了後お送りする専用の用紙にてお早めにお手続きください。購読料金は一括前払いとなります。
●この申込書の有効期限は昭和62年3月31日までです。

隔週月曜日、年30回発行。直接お手もとにお届けします。

づいたものです。つまり売り方は証券会社から株式を貸してもらって、その株式を市場で売るわけですが、その売却代金は証券会社に担保として差し出すことになっています。この資金の運用は証券会社にまかされており、その一部は証券会社が買い方に貸し付ける源泉となります。いってみれば、証券会社を通じて売り方が買い方に資金を融通している形になっており、それに応じて売り方に〝融通料〟として金利が支払われているわけです。

この金利はその時の金融情勢、貸借取引の金利水準によって変動しますが、五十九年八月現在、買い方金利は八・二五％、売り方金利は三・七五％（指定銘柄は五・五〇％）となっています。また有価証券取引税は普通売買と同じく、売却代金の一万分の五五です。

それでは実際のケースで説明してみましょう。具体的には時価二百円の株式一万株をカラ買いおよびカラ売りし、それぞれ六カ月後に同値で決済したとします。まず売買手数料は売り方、買い方とも往復で四万六千円、同じく取引税、管理費はそれぞれ一万千円、五千円、金利は買い方の支払金利が八万二千五百円、売り方の受取金利が三万七千五百円となります。この結果、総額では買い方は十四万四千五百円、売り方は二万四千五百円の経費となります。買い方の経費を一万株で割ると十四円四十五銭、つまり七・二三％値上がりしてコストがまかなえる勘定です。また特別信用の場合は期間が三カ月で、同じケースで買い方が十万二百五十円、売り方が三万千五百円ということになります。特別信用は経費も安くなりますが、三カ月間に決済をしなければならないむずかしさがあります。

?52 貸借取引、貸借銘柄とは何のことですか

証券会社と証券金融会社とのおカネや株券の取引を貸借取引といいます。

株式投資に経験を積んだ人が、新聞の証券面をみながら「貸借倍率が悪化しているなぁ」とか、「どうも買い残の増加が急ピッチすぎる」ということがよくあります。ベテラン投資家にとっては自明の理でも、株式投資を始めて日の浅いビギナーには、よくわからない表現でしょう。たしかにこの貸借取引というものが、信用取引制度の仕組みをわかりにくくし、一般の投資家にとって信用取引を近寄りがたいものにしています。

投資家が信用取引を利用すると、証券会社はその投資家におカネもしくは株券を供給しなければなりませんが、常に証券会社が十分なおカネや株券を用意しているとは限りません。大量の信用取引の注文を受けると、証券会社が自社でやりくりできなくなることもあります。その場合、証券会社が不足分のおカネや株券を調達してくるところが証券金融会社（日本証券金融、大阪証券金融、中部証券金融）です。この証券会社と証券金融会社との間の取引を貸借取引といい、貸借取引の対象になっている銘柄を貸借銘柄と呼びます。

この取引には投資家が参加していませんので、一見投資家にとって無縁のように思いがちですが、実際には信用取引と表裏一体の関係になっています。たとえば建て前上、第一部上場銘柄は新株以外

のどの銘柄でも信用取引ができることになっていますが、実際に証券会社が信用取引の注文を受け付けるのは、貸借銘柄に限られています。日本経済新聞でも相場欄に「・ソニー」といったように「・」印をつけて貸借銘柄を表示しているばかりでなく、個別銘柄の借株・融資の状況がわかる「貸借取引日証金残高表」なども掲載しています。

「上場銘柄に差をつけるべきでない」との考え方から、取引所、証券金融会社は年々貸借銘柄を増やしつつあります。五十六年一月から資本金三十億円未満の銘柄（大証は十五億円未満）が三十三銘柄削除されましたが、これは小資本金の会社が貸借取引制度を利用して、株価が異常な高値を招いたりするのを避けるためです。五十九年十二月から六十年にかけて銀行株が相次いで貸借銘柄に採用されたこともあり、六十年九月現在の東証、日証金の貸借銘柄数は五百二十三銘柄となっています。

二部上場会社に信用取引が認められないのは、小資本金会社が排除されたのと同じ理由です。また第一部銘柄でも浮動株主数、浮動株式数からみて、貸借銘柄としてふさわしくないものも除かれることになっています。貸借銘柄に選ばれると信用取引が可能になるため、取引が始まる前後に新貸借銘柄として人気づくことがよくあります。たしかに、実需だけでなく、仮需も加わることから、従来より株価の水準が上がる銘柄も出てきます。

?53 信用残高が注目されるのはなぜですか

買い残高は六カ月後の決済期日までに反対売買されるため短期的な相場を占う有力な指標です。

信用残高の一つに三市場残高があります。東京、大阪、名古屋三市場での信用取引の残高を集計したものです。毎週火曜日の立ち会い終了後に発表され、水曜日の朝刊で知ることができます。株式相場の材料になるケースもあり、投資家にとって目の離せない材料の一つといえましょう。

三市場買い残高は、相場全体の動きと密接に関連しています。投資信託、信託銀行のような金融機関や一般の企業、そして最近では外人投資家が相場に大きな影響を与えていますが、個人投資家中心の信用取引もまた大きなインパクトになっています。五十九年十月から六十年三月にかけ株式は大幅に値上がりしましたが、この間、信用買い残高も大きく膨れあがりました。買い残高の水準も六十年三月には一時三兆円台に乗せたこともあります。

そして、この水準が、ある時には相場の買い材料に、そして別の局面では相場の警戒材料になったりします。景気、金融情勢によって、相場の性格は様々ですが、株式市場では、三市場信用買い残高が東証第一部市場時価総額の二%を超えると警戒信号といわれています。ただ六十年三月の時は一・七九%でピークを打っています。信用取引を利用しない機関投資家主導の相場となり、過去の経験則があてはまらなくなっているともいえそうです。

信用取引には「買いは売りなり、売りは買いなり」といった相場格言があります。買いにせよ、売りにせよ六カ月以内（特別信用は三カ月）に決済をしなくてはなりません。ですから、買い残が急増したからといって、相場がいつまでも上がるというものではありません。急増した買い残高は遅くとも六カ月以内に決済されますから、いつか売り要因に変わるのです。株価が順調に上がり、買い方が利食える間は、投資家は利食った資金で再び信用買いをするケースが多く、俗に回転が効くといわれます。しかし、逆に株価が下落し、利食えなくなると投資家の資金の回転が止まります。よく「しこる」といわれますが、こういう状態をさします。

決済期日が六カ月と決められていますので、決済期日が迫り、その買い残高が多いと、相場はこれに影響されて特有の動きをするケースが出てきます。知っておくべきでしょう。「期日圧迫で下げる」という表現があります。買った株価より時価が下がり、決済に迫られた投資家が売りを出し、これが相場の悪材料になって下げることをいうのです。また、「期日迎えの買い」という言葉もあります。期日売りがなくなるとその後株価が上がるケースが多いため、先高を見越した投資家が買い物を入れることをいいます。

信用取引の残高の見方は言葉で言うほど簡単なものではありません。相場に大きな影響を与える他の要因と兼ね合わせて考える必要があるでしょう。

?54 個別銘柄の信用残高はどのように利用できますか

経験的にみて、信用買い残高の動きと株価は密接に関係しています。

三市場の信用残高が明らかになった翌日、水曜日の立会い終了後に全信用銘柄について東京証券取引所が個別銘柄の信用残高（前週末現在）を発表します。日本経済新聞社では東証発表分は全銘柄、大証分については九十銘柄強を選んで残高を掲載しています。

利用上のポイントはまず、買い残高の動きを丹念にみることです。投資妙味の期待できる銘柄は買い残高が増加するものといえるでしょう。ことに買い残高が増え始めた時が絶好の投資のタイミングです。このタイミングをとらえるには日ごろから残高の動きを追っていなければできません。六カ月期日との関係で、売り圧迫になる買い残高がどのくらい残っているのか、業績、その他の材料があるのかなどを勘案して買い場を考えたらいいでしょう。

ただ、買い残高が増加している銘柄の株価は堅調なケースが多いことは事実ですが、危険ゾーン、要注意ゾーンというのもあります。相場が人気化し、出来高が膨らんでいる銘柄について、株式市場ではよく①買い残高が発行済み株式数の二〇％を超える、②買い残高が三千万株を超える――と警戒色を強めます。東証が注意銘柄に指定するときの基準の一つにもなっています。

五十六年九月から五十九年初めにかけ、大相場を演じた住友金属鉱山、三菱金属、三井金属も買い

残高が多くなり過ぎ、その後、人気が離散しました。いずれも買い残高が発行株数の一二〜一五％というピーク水準にはりついたまま、株価が下がったためです。どの水準が買い残高の上限かは銘柄ごとの株価の動きや相場全体の環境によっても変わってきますが、注意深く考える必要があるでしょう。

買い残とあわせ売り残高の動きも重要なポイントです。カラ売りが急増すると「仕手妙味が出てきた」とよくいわれるように株価も勢いづくからです。売り残の見方、使い方はむずかしいと思いますが、一つの使い方は買い残との倍率を見ることです。絶対的な基準はありませんが、買い残高に対する売り残高の倍率が急速に縮小し二倍とか三倍に接近してくるにしたがい人気も高まってきます。残高がともに増えながら倍率が縮小しているかどうかもポイントといえましょう。

ただ、売り残高が増えたからといって単純にカラ売りが増えたとは必ずしもいえないことに注意が必要です。決算期末の名義書換に伴うつなぎ売りの場合もありますし、転換社債の株式転換に関連した売りもありえるからです。ことに五十八年から外貨建て転換社債発行がブームになり、外人投資家が株式転換に際し、信用取引でつなぎ売りをするケースが増えています。売り残の増加が「カラ売り」と早合点すると思わぬ損をしかねません。銘柄の転換社債発行残高、転換価格といった点も考慮に入れた方が賢明でしょう。

?55

日証金残高表とは何ですか

証券会社が日証金に融資や借株を申し込んだ数字で、信用取引の重要な指標になります。

信用取引のディスクロージャーが進んできたとはいえ、東京市場で毎日信用取引の残高が公表（一日遅れ）されるのは二十銘柄程度ですし、五百二十三の貸借銘柄については週一回の発表にとどまっています。まだまだ信用取引にはベールにおおわれている面があります。その意味で、日証金残高表は立会いのあった翌日に取組内容がわかり、信用取引の内容を知る有力な判断材料になっています。

それでは日証金残高表はどうなっているのでしょうか。この表は木曜日を除く毎日、日本経済新聞の朝刊（貸借銘柄のうち約半数を掲載）などに掲載されていますが、合計については借株、融資それぞれの申込み、返済、残株（およびその金額）が数字で示されています。借株とは売り方のことで、「借株申込み」とは、信用取引の売り注文を受けた証券会社が、日証金に株を借りたいと申し込んだ株数です。「借株返済」はその逆、つまりカラ売りの決済です。その結果、日証金から実際に借りている株数が「借株残高」となります。融資とは買い方のことを指し、信用取引の買い注文を受けた証券会社が、日証金に借りたいと申し込んだ株数が「融資申込み」、「融資返済」は買い方の決済、「融資残高」は買い方にとってまだ決済していないものの合計となります。個別銘柄については、「借株残株」と「融資残株」の数字が示されています。

また日証金残高、「借株に対する融資の比率」（貸借倍率）も掲載されています。日証金残高は融資残高合計から借株残高合計を差し引いたもので、六十年に入ってからは千六百億円から五千億円で推移しています。貸借倍率はカラ売りの何倍のカラ買いがあるかを示すもので、この数字が低ければカラ売りの比重が高いことを示し、仕手人気となる可能性があります。また「値下がり分」「値上がり分」という項目がありますが、これは毎日の株価変動による日証金残高の増減のことで、貸借銘柄に値上がりが目立つような日には、この値上がり分だけで、日証金残高を押し上げることになります。

もちろん日証金残高表にも問題はあります。まず日証金残高表は証券会社が日本証券金融に融資や借株を申し込んだ数字であるため、信用取引の実態を完全に反映していない点です。場合によっては、日証金残高表が実際の信用取引とは逆の動きをすることもあります。たとえば当初日証金に買い方融資を相当付け出していた証券会社が、ある日突然自己融資に振り替えるとします。当然、日証金残高表の融資残株は急減し、「株不足」になる可能性も出てきます。「融資残株が急増しているので、カラで売っておこう」とした人は、融資残株の急な変化をみて、あわてることになりかねません。

したがって信用取引を利用する人は、日証金残高の動きをにらんでいると同時に、もしその銘柄の日々の個別信用残高が公表されていれば、その動きを絶えずチェックする必要があります。そうすれば、ほんとうに売り買いが接近して仕手株的な動きになるかどうか、判断できるわけです。

?56 株不足、逆日歩とはどういうことですか

証券金融会社で借株申込みに応じきれないのが株不足で、貸主に支払うおカネが逆日歩です。

「信用取引」はお客と証券会社の間で株やおカネを貸し借りしますが、「貸借取引」は証券会社と証券金融会社との間の取引です。つまり「信用取引」が小売りとすれば、「貸借取引」は卸売りとでもいうべき関係です。証券会社はお客から「カラ売り」「カラ買い」の注文を受けると、自社の資金を貸すとか、同一銘柄で「カラ買い」がある時は「店内食合い」にするとか、その処理をしなければなりません。そして自店で処理できない部分を証券金融会社に付け出すわけです。

各証券会社からの申込みを証券金融会社が銘柄ごとに合計して、カラ売り株がカラ買い株を上回った状態を「株不足」と呼んでいます。つまり「カラ売り」を利用して売ったものの、買い方に渡す株が不足している状態です。

証券会社は証券金融会社に、その日の夕方までに申込みを行ないますので、「株不足」は翌朝の新聞紙上で知ることができます。各証券会社から申込みを受けた結果、株不足になった場合、証券金融会社はその不足分を調達しなければなりません。ふつうは翌朝十時までにその調達を決めるのが、まず第一にとられる処置です。この間は、各証券会社から前日申込みの訂正を受け付けたり、入札方式によって証券会社から株式を調達する方法がとられます。

この場合、証券会社から株不足に見合うだけの融資（カラ買い）の訂正申込みがあれば、「満額」ということで問題は解決します。そうした申込みがない時は、入札によって株を貸してくれる人を探すわけです。この時に支払うおカネが「逆日歩」ということになります。逆日歩で注意しないといけないのは、これがつくと、カラ売りをしている人はすべてこの逆日歩を支払い、カラ買いをしている人はこれを逆に受け取ることができることです。

「逆日歩」は十銭単位で決まりますが、大量の株不足で調達が困難な場合は、逆日歩がハネ上がります。この場合、最高の料率が株価によって決められています。たとえば百円以下は一円、三百円以下は一・二円といった具合です。ただ、これも次の日には十銭加算した額が最高料率になります。

逆日歩はたいていの場合、十時過ぎには発表されますので、夕刊の株式欄でどう処理されたかを知ることができます。ただ実際に逆日歩がつくケースは少なく、「零銭」、「満額」で終わっている銘柄が多いのがふつうです。「零銭」は入札に「零銭」、つまりタダで応じたものです。

なぜ零銭となるのか、その背景は次のようなものです。つまりたとえ株不足になっても、信用取引全体でみてカラ売りがカラ買いより多いとは限りません。むしろまれだといった方がいいでしょう。そんな際に逆日歩がつくと、自己融資を多くしている証券会社は損をします。このため、翌朝カラ売りを引っ込めて売り買いの株数を同数にしたり、「タダで貸します」といって「零銭」で証券金融会社に株を提出するわけです。このため、実際に逆日歩がついた時は相当カラ売りが多く、売り方が苦しまぎれに買い戻してくるので、踏上げ相場が期待されることにもなります。

?57 信用取引にはどのような規制がありますか

全面規制と個別銘柄ごとの規制があり、相場が過熱してくると規制を強めていきます。

信用取引の仕組みは前に述べましたが、相場が過熱したり、投機的になるのを食い止めるために、いろいろな規制が設けられています。大ざっぱにいって、信用銘柄全体に及ぶ全面規制と、個々の銘柄ごとにとられる個別規制とがあり、ともに取引所の判断で、規制を強めたりゆるめたりします。

全面規制はその時々の株式市場のおかれた環境や金融情勢など総合的な判断に基づいて決められ、信用取引をする場合には一律に適用されます。その内容は①委託保証金率の変更、②保証金のうち現金分の変更、③代用証券の担保掛け目の変更――の三つからなっています。委託保証金率三〇%、担保掛け目七〇%が最も基準となる料率で、相場全般が投機色を強めながら過熱化してくると、まず委託保証金率を引き上げ、それでも鎮静化しないと委託保証金の一段の引上げとともに、現金担保分を増やし、さらに最終段階では代用証券の担保掛け目を引き下げる、というのがよくみられるケースです。過剰流動性相場時代の四十八年一月九日には委託保証金率が七〇%で、うち現金分が三〇%、担保掛け目は五〇%となりましたが、最近ではこれが最もきびしい信用規制となっています。

もっとも、株は生きものです。相場全体がもたついていても、個々の銘柄のなかには異常な人気を集め、投機的な動きをするものが必ずといってよいほどあるものです。こうした銘柄には、きびしい

規制をかけるわけですが、これを個別規制といいます。その内容は全面規制と同じく、委託保証金率引上げ、現金担保分引上げ、代用証券の担保掛け目引下げからなっています。

個別規制を受けても、その銘柄がいっこうに鎮静化しないような場合、取引所は「売買取引等に関する規制措置」に基づいて、信用取引の禁止という〝ウルトラC〟を発動することもできます。このほか、日証金が貸株の調達が困難だと判断した場合、新規売りをストップさせることがありますが、売り方にとっては新規の売りができなくなるわけで、この規制の効果も大きいものです。

また五十三年十月から東京をはじめ全国の各取引所で新しい信用取引制度として、「指定銘柄」とともに「ガイドライン」の制度が導入されました。注意進行を示す交差点の黄信号のように、過熱気味となっている銘柄について「場合によっては今後委託保証金引上げなどの規制措置もありうる」と事前に投資家の注意を促すのが、このガイドラインのねらいです。つまりある銘柄がガイドラインに達した場合、「注意銘柄」となって、投資家に対してその信用取引残高が毎日公表されることになります。

ガイドラインには大きく分けて基準が二つあり、その一つが残高基準といわれるものです。これは①売り残の買い残に対する比率が六〇％以上、②売り残の対上場株式数比率が一〇％以上、③買い残の対上場株式数比率が二〇％以上――というものです。もう一つは売買取引全体の動向をにらんだもので、株価・売買基準といわれており、①制限値幅に対して五〇％程度の株価変動が二―三日続く、②上場株式数に対して一〇％程度の売買高が二―三日以上続く――というのがその内容です。

6
投資信託とは

? 58

投資信託とは何ですか

株式や債券への投資を専門家にまかせる方法で、ユニット型、オープン型があります。

株式をはじめ有価証券投資の有利さはわかっているのだが、まとまったおカネがないし、管理のわずらわしさなどを考えると、直接手を出すのはどうも……と思っている人も少なくないでしょう。こうした人に対して、間接的ながら広く有価証券投資の機会を提供しているのが投資信託です。つまり投資信託はおカネの運用に豊富な経験と知識をもった人に自分の財産を預け、これを有利に増やしてもらおうとするものです。日本、英国、米国、西独、フランスなどの欧米先進国だけでなく、ブラジル、韓国、フィリピンなど発展途上国の多くでも投資信託が定着しています。

日本で運用の専門家の役割を受け持っている投資信託委託会社は、多岐にわたる業務を行なっていますが、このうち受益証券の募集、収益分配金の支払いなど投資家と直接関係のある業務の多くを証券会社に委託しています。

投資信託は投資対象である有価証券の違いによって、株式投信、公社債投信、転換社債投信の三大商品に分けられています。このなかで最も歴史が古く、種類も多くて一般投資家になじみの深いのが株式投信です。

証券投資信託協会の証券投資信託商品体系によると、基本的な種類だけでも十八種類に及んでいま

す。まず元本を追加設定できるかどうかによって株式投信は単位（ユニット）型と、追加（オープン）型の二つに分かれます。単位型は最初に一定額のファンドが設定されると、あとは解約によって元本が順次減少していく一方ですが、追加型は時機を選んで元本が追加設定されるため、信託財産は増減を繰り返します。信託期間も単位型が四年、五年といったように限定しているのに対し、追加型は原則として無期限です。

商品性格によって成長型、安定成長型、安定型という三つのタイプに分かれます。成長型は積極的に株式の値上がり益を追求するのが特徴で、運用が成功すれば大きな収益を得られる代わりに、株価の下落の影響も大きく出てきます。ここでそれぞれの投資目的に応じた商品の選択ができるわけです。

公社債投信は運用対象を公社債やコール・ローンなど、確定利付きのものに限っています。厳密な意味では元本は保証されていませんが、あらかじめ決められた予想分配率を維持する預貯金に似た性格を持っており、マル優や財形貯蓄として利用できます。さらに五十五年一月に発足した「中期国債ファンド」は、一カ月たつと換金自由で超短期の投資にも向いた商品です。また五十六年には機関投資家向けの「新国債ファンド」、五十七年には無分配型国債ファンド「ジャンボ」、さらに六十年には大口向け中国ファンドともいうべきFF（フリー・フィナンシャル）ファンドが登場し、国債の大量発行、公社債市場の拡大、金利自由化を背景に、投資信託の世界にも着実に自由化の波が押し寄せています。

?59

投資信託の利回りはどのくらいになっていますか

たとえば単位型のファミリー・ファンドでは年一〇％が目標になっているようです。

投資信託が他の貯蓄商品に比べて魅力があるかどうかは、ひとえに運用成果、つまり利回りの高低にかかっています。

投資の果実は、まず年一回ないし二回の決算ごとに受け取る収益分配金によって実現します。収益分配金は受益証券についているクーポン券（分配金交付票）と引換えに証券会社の窓口で受け取ることができますが、その源泉は投資している有価証券から生まれる配当金・利子・およびコール・ローンの利息などの配当・利子収入（インカム・ゲイン）と、有価証券の値上がり益（キャピタル・ゲイン）の二つから成り立っています。

ただ追加型と単位型投信の収益分配方針に違いがあることに注意しなければなりません。単位型（ファミリー・ファンドなど）は長期投資で成果を得るという貯蓄的性格を反映して、値上がり益が大きく出てもそれを積み立てて、償還にそなえるという考え方をとっています。単位型の収益分配金は五十五年までは決算期末の基準価格に応じて分配率が決められていました。五十六年からはこれが原則自由となりましたが、内部留保重視の方針には大きな変更はありません。単位型の基準価格は日本経済新聞にも毎週一回必ず掲載されていますので、それをみながら自分の持っている受益証券の収

益分配率をある程度予想することもできます。

一方、追加型（第一オープン、第二オープンなど）の場合は単位型に比べて収益分配の制限がゆるく、年ごと、商品ごとの実績の差がいちじるしく開いているのが特色です。たとえば、電力、鉄鋼など大型株を運用の中心においているファンドのようにキャピタル・ゲインが出ても準備金として積み立てるものや、成長株ファンドのように分配金をインカム・ゲインの範囲内に限るものなど、様々です。追加型も毎決算期ごとに商品別の基準価格、収益分配金、平均利回りが日本経済新聞に発表されますので、ふだんからよく調べて、投資の参考にすることが大事でしょう。

利回りは収益分配率だけでなく、途中解約あるいは信託期間終了時における基準価格と元本の差額（償還損益）を合わせて計算することが必要です。また手数料負担を勘定に入れた運用利回りと、投資家利回りの違いを知ることも大切です。安定運用のファミリー・ファンドといえども、株式相場の推移に微妙な影響を受けているといえましょう。

運用担当者はいずれも安全性と同時に、インフレを補う運用成果、いいかえれば高い利回りをあげることを常に心がけています。ファミリー・ファンドはいまでも預貯金金利を上回る年一〇％の平均利回りが各社の目標になっているようです。利回りの高低は商品性格によっても違ってきますが、有利なものはそれだけ危険負担が大きいことを知っておくことも大切でしょう。

? 60

投資信託はどのような株式に投資していますか

上場銘柄に限定し、危険回避のため分散投資していますが、投信銘柄といえば優良株です。

投資対象となる株式はどのファンドでも流通性、安全性を考慮して、証券取引所に上場されている銘柄（第二部市場を含む）に限定しています。証券取引所に上場されている銘柄であれば、換金はいつでもできますし、信用力も高いからです。

また投資信託は数多くの投資家から財産を預かり、投資家本人に代わって専門家が投資するので、運用に際しては危険負担を少しでも軽くするために、分散投資が原則となります。国内株式の業種別組入れ比率をみても、株式コードの順にしたがって、水産業からサービス業の株式まで比率自体には高低があっても、まんべんなく投資していることがわかります。六十年六月末で投資信託は全上場株式の一・二％を保有しています。

しかし、投資信託は流通性、安全性ばかりでなく、効率的な運用もめざさなければなりません。値上がり益（キャピタル・ゲイン）の追求です。このためには将来の好調な利益成長が見込めて、株式市場の人気も集まりやすい銘柄を探すことになります。そのうえ、株式市場全般が安くなっても、ある程度の下値抵抗力を持っていることが要求されます。

こうしたきびしい条件を備えている銘柄といえば、優良株に限られてきます。一般に「投信銘柄」

といえば、優良株をさすのもこうした事情があるからです。優良株をはっきり定義するのはむずかしいことですが、技術開発力、販売力、国際競争力などの総合的な判断に立つと、電機、自動車、精密などの業種に優良株が集中しています。各業界のトップ企業も優良株の仲間に当然入るでしょう。最近は株式市場の人気に合わせて投機色の濃い銘柄を組み入れることもあります。

投資信託の業種別組入れ比率をもう一度見直すと、六十年六月末現在で電気機器が三五％と他を圧していています。その内容も松下電器産業、日立製作所といったわが国を代表する企業の株式が柱になっています。次いで新薬開発などで将来の成長期待が大きい薬品業を含む化学工業の一一・九％など優良株への集中投資が目立っています。

投資信託は現在の優良株ばかりでなく、常に新しい成長銘柄を発掘しています。超値がさ株として知られる京セラも元はといえば、投信がはじめに手がけた銘柄といわれています。今後の経済構造の変化、企業業績の見通しなどに応じて、機動的な運用が繰り広げられていくことでしょう。特に最近の資源株人気などから投信の運用ももっと弾力性を増し、国際情勢の変化に対応していくべきだとの見方が強まっています。

投資信託を買ってしまえば、あとの運用はすべて他人まかせという考え方ではなく、毎決算期ごとに出される運用報告書でそのファンドの業種別、銘柄別組入れ比率を調べたり、運用対象を限定するファンドを選んだりして、投資家自身の好みを十分に反映させることもできます。

7
債券とは

?61 債券とは何ですか

要するに借金の証文で、不特定多数の人から資金を集める手段の一つです。

債券という言葉をよくみかけるようになりました。国債、金融債、社債など、新聞広告には「安全・有利な債券」などと書かれています。公共債が大量に発行されるようになり、債券に対する関心がいっそう高まってきたようです。

債券は総称して公社債ともいいますが、国や地方公共団体、あるいは事業会社などが広く一般大衆から資金を調達するために発行する有価証券の一つです。国や地方公共団体が道路、学校、地下鉄などを建設したり、事業会社が工場を建設するためには、資金が必要です。税収や自己資金でまかなえれば好都合なのですが、多くの場合それには限りがあります。こうした事業を実施する際には、ほかからも資金を調達しなければなりません。そのために債券を発行し、資金をつくるわけです。

債券は広く一般に売り出されます。一定の金額を単位としてたくさん発行し、多くの人たちから資金を集めるわけです。たとえば、一万円、十万円、百万円、あるいは一千万円というように、いくつかに分けられた一定の金額の債券が多くの人たちに販売されます。このような単位のおカネでも、たくさん集めることによって発行者は事業を進めるに足りる大きな資金を得ることができます。

債券を発行すれば、発行者は個々の債券についてそれぞれ同じ条件で一定期日に一定の利子を支払

い、また定められた期限に元金を返すことが義務づけられます。こんなところから、債券は総額で一体性をなしている個々の債務といい表わすこともできます。債券を買った投資家は、元金と利子を受け取る権利を取得します。債券は、そうした権利・義務を明示したものであるともいえるでしょう。

資金調達の手段としては、債券発行も銀行借入れも違いはありません。しかし、銀行からの借入れは、預金者―銀行―資金調達者というように、銀行の手を経て資金を集めます。貸借関係は預金者と銀行、また銀行と資金調達者の間に生じます。これに対し債券発行の場合の貸借関係は、投資家と資金調達者との間に生じることになります。こんなところから銀行借入れを「間接金融」、債券発行を「直接金融」として区別します。銀行借入れの大半が短期資金なのに比べ、債券は大部分が長期資金を調達するのに発行されるのも大きな違いでしょう。

債券は売買されます。また、それによって元金と利子を受け取る権利が移転します。したがって、債券を取得した人が、なんらかの理由でおカネが必要になった場合、第三者に債券を売却し、これを現金に換えることができます。元金は原則として償還期日がくるまで返済されることはありませんが、投資家は償還期日の前に第三者に債券を売却し、元金を回収することもできるわけです。このようにして、債券は権利を伴って転々と流通していきます。

債券は、国、地方公共団体、事業会社のほか、一部の金融機関、公社・公団などが発行していきます。学校法人が発行することもあります。いずれも発行者が資金調達者となりますが、不特定多数の人を相手に発行するわけですから、それぞれに細かな契約が作成され、また発行者と投資家の間に引受会社、受託会社、登録機関など多くの専門家が介在します。

?62 債券にはどのような種類がありますか

発行者、発行方法、債券の形式、担保の有無、募集地などによっていろいろに区分されます。

債券には、いろいろな種類があります。また分類の仕方にもいろいろな方法があり、発行者、発行の形態、担保の種類などによって、いくつかの種類に分けることができます。

▽発行者による区分＝誰が債券を発行したかを知ることは最も重要なことでしょう。国債、公社・公団債、地方債を総称して公共債といいます。これに対し民間債は、事業債（社債）と金融債に分かれます。事業債のなかでは電力会社の出す債券が最も発行額が多いところから、これを電力債と呼び、他の事業債と区別することがあります。この場合、他の事業債は一般事業債といいます。

▽発行の方法による区分＝債券は原則として不特定多数の人を対象にして広く発行されます。しかし、対象者を特定して発行することもあります。前者を公募債、後者を非公募債（私募債）といいます。非公募債は縁故先を対象にして発行されることが多いので、縁故債とも呼ばれています。

▽債券の形式による区分＝券面に債権者の氏名を記載する場合を記名債券、記名しない場合を無記名債券といいます。また、社債等登録法に基づいて登録機関に登録した債券を登録債、そうでないものを現物債（本券）といいます。本来は個々に現物債を発行するのですが、いちいち現物債を発行するのでは管理面から問題が生じる恐れがあり、また手数もかかるので、登録済証を発行し債券に代え

るわけです。この登録制度が昭和十七年に設けられてから、記名債券はほとんどなくなりました。

▽担保による区分＝債券の安全性を強化するという理由で、わが国では担保をつけて発行することが一般的になっています。担保には物上担保、企業担保、一般担保があります。担保のない債券を無担保債といいます。第三者の保証を得て発行する場合もあり、これを保証債といいます。政府保証債がその代表的なものです。

▽募集地などによる区分＝債券の募集（発行）が国内であるか、国外であるかによって国内債か国外債かに区分されます。国外の場合、通常は額面金額を外貨で表示し、マルク建て債、ドル建て債などといい表わします。

▽期間の長さによる区分＝必ずしも明確に区分されているわけではありませんが、一般に償還年限が三年未満のものを短期債、三年以上七年未満を中期債、七年を超えるものを長期債といっています。

- 公社債
  - 公共債
    - 国債
      - 長期国債
      - 中期国債
      - 短期国債
    - 公社・公団債
      - 政府保証債
      - 非政保債
    - 地方債
      - 公募地方債
      - 縁故地方債
  - 民間債
    - 事業債
      - 電力債
      - 一般事業債
      - その他
    - 金融債
      - 銀行債
      - 金庫債

	発行額（59年度）	現存額(60年３月)
国債	182,039（42.1）	1,216,937（62.0）
地方債	8,231（ 1.9）	56,915（ 2.9）
政保債	26,060（ 6.0）	145,379（ 7.4）
特別債	2,000（ 0.5）	12,627（ 0.6）
事業債	7,200（ 1.7）	92,837（ 4.7）
金融債	196,105（45.4）	394,818（20.1）
外債	10,500（ 2.4）	43,954（ 2.2）
合計	432,135	1,963,467

公社債の発行額と現存額（単位：億円，カッコ内は構成比％）。

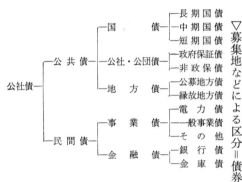

? 63

国債にはどのような種類がありますか

償還期限によって超長期、長期、中期、短期の国債に分類されています。

国債は、その償還年限の違いによって、超長期国債、長期国債、中期国債、短期国債に分けることができます。長期国債は償還年限が七年あるいは十年のものをいいますが、公募発行されている長期国債はすべて十年となっています。短期国債は一年未満のもので、政府短期証券ともいいます。中期国債は五十二年一月に新設されました。最初は五年の割引国債だけでしたが、現在では二―四年の利付国債が登場しています。

わが国がはじめて国債を発行したのは明治三年。ロンドン市場で英貨建てで総額百万ポンドを発行し、いまの国鉄・東海道本線を建設するための財源に当てました。国内で発行したのは明治五年がはじめてです。旧幕府、諸藩の債務を引き継ぐために発行したもので新公債、旧公債と呼ばれました。

日本の財政は国債を発行することによって発展してきたといってもよいでしょう。国債を発行して得た資金で事業を興し、産業国家の基盤をつくりあげてきました。また戦争の費用も国債でまかなわれてきました。特に日露戦争の戦費は、その九割までが国債の発行でまかなわれています。第二次世界大戦のためにも大量の国債が発行され、これは激しいインフレーションの原因になりました。

現在、長期国債の新規発行については、財政法第四条で「国の歳出は、公債又は借入金以外の歳入

を以て、その財源としなければならない」とし、歳出の財源に当てるための国債発行を禁止しています。ただし、「公共事業費、出資金及び貸付金の財源については国会の議決を経た金額の範囲内で公債を発行し、又は借入金をなすことができる」と規定し、特定の事業に限って起債を認めています。この国債が建設国債と呼ばれるものです。

これに対するものが赤字国債です。不況などの影響で税収が落ち込み、財政法で定められた限度いっぱいの建設国債を発行しても、なお歳入不足に陥ることがあります。このような場合に、歳入補塡のための国債を発行します。これが赤字国債です。財政法では、このような国債を発行することを禁止していますので、赤字国債を発行する場合は、特別の法律を設けることが必要です。

短期国債は、財源調達のため発行するものではなく、年度途中の資金繰りのために発行するものです。歳入と歳出には時間的にズレが生じ、一時的に資金不足に陥ることがあるので、これを補うため発行します。現在発行されているのは大蔵省証券、外国為替資金証券、食糧証券の三つです。それぞれ蔵券（クラケン）、為券（タメケン）、糧券（リョウケン）と呼ばれています。日本銀行は引き受けた政府短期証券の売却を五十六年五月から始めており、五十九年度は十一兆円となっています。流通市場の整備、拡充の声も強く、通年売却の実施や公募入札制実施の論議も盛り上がっています。

期間十五年とか二十年の国債も私募形式で発行されており、超長期国債と呼ばれています。五十八年二月に信託銀行向けに三千億円の十五年債が発行されたのが最初で、これには変動利付債と固定利付債の二種類があります。

? 64 国債はどのような目的で発行されるのですか

四十年不況を克服する際、その財源として戦後はじめて国債が発行されました。

戦後はじめて長期国債が発行されたのは四十年度でした。いまでこそ、国債の大量発行が問題となっていますが、それまでは均衡財政の方針が貫かれ、一般会計の財源調達のために国債が発行されたことはありません。四十年不況を契機として、はじめて国債の発行によって必要な財源を確保していくという方針が打ち出されました。

わが国は、世界でも類のない高度経済成長を続けてきましたが、戦後一貫して順調な経済成長を持続してきたわけではなく、いくつかの不況を経験しています。特に四十年不況は、当時としては戦後最大の不況とされ、不況からの脱出が大きな課題となりました。公共事業を拡大し政府がみずから有効需要をつくりだす必要もあるというわけで、財政支出拡大のため国債を発行しました。

そのあとも、四十六年十二月の円切上げによる不況対策、また社会資本充実のために国債を増発しました。石油ショック後も、不況脱出のために国債の大量発行で財政支出を拡大しています。かつては戦費調達のため大量発行されましたが、戦後は不況脱出のため、あるいは社会資本充実のための財源に目的が絞られています。このあたりに国債発行の今日的な意義があるといえるでしょう。

財政の立場からみれば、支出は租税でまかなうのが健全な姿であることは確かです。しかし、単年

度の租税収入には限りがあります。特に不況対策のための財政支出の拡大にはその財源を国債に依存しなければなりません。国債は租税に比べ、①強制的ではなく、国民の任意に基づく財源調達の方法である、②短期間に巨額の収入をあげることができる、③租税の前取りであり、税の負担を時間的にずらすことができる――などの特性があり、財源確保の有力な手段として重要視されます。

財政支出の拡大を増税だけでまかなったらどうなるでしょう。増税は個人などから強制的に資金を調達するわけですから、一般的にいってそれだけ消費を減少させます。これでは、財政支出を拡大し、有効需要をつくりだしても、その効果は相殺されてしまいます。これに比べ、国債は個人消費を減少させることなく、有効需要を創造することができ、財政活動を通じて資源・所得の再配分を行なう機能も持っています。しかし、元利の返済負担は後年度に発生することになり、ここに世代間の負担の問題が生じます。

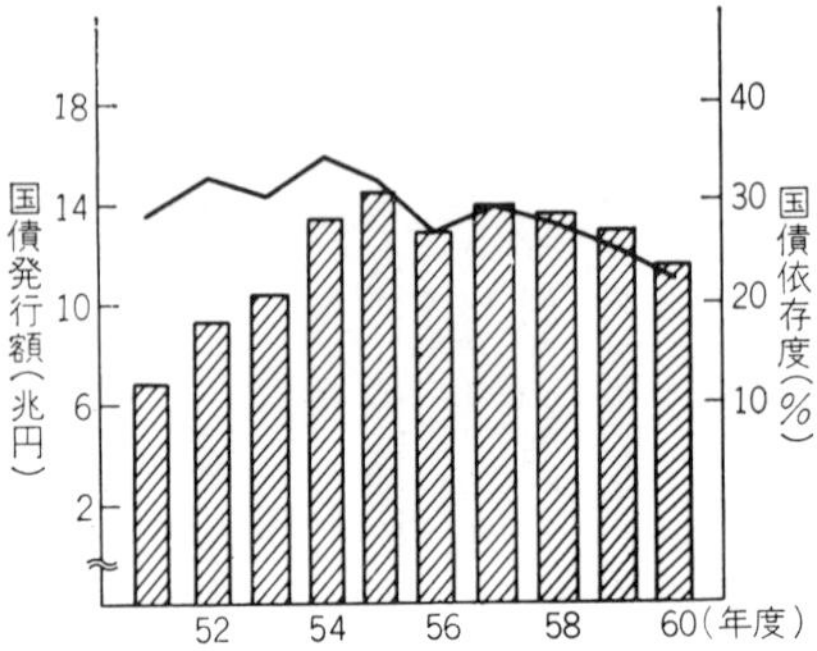

国債発行の推移。国債依存度＝国債発行額÷一般会計歳出。59年度までは実績。60年度は当初予算。

六十年度以降から、建設国債の借換えが本格的に始まりました。毎年十兆円を超える利払い負担をまかなうための新規財源債の発行や、赤字国債の借換債発行も避けられません。これに伴い大量の償還金が市中に散布されることになり、これらの償還金をいかに効率的に国債投資に還流させるかが、今後の国債管理政策上のポイントになっています。

?65

国債を大量に発行するとインフレになるといわれますが、なぜですか

インフレになるかどうかは、その時の経済情勢や発行方法に左右されます。

国債といえば、戦時国債を連想し、これをインフレと結びつけて暗いイメージをいだく人も多いようです。確かに、わが国は第二次世界大戦のための戦費を調達するために大量の国債を乱発し、猛烈な物価上昇を引き起こしました。しかし、だからといって国債の発行を直ちにインフレと結びつけて考えるのは、あまりにも短絡的です。確かに、インフレを発生させやすい要素をはらんでいるにしても、実際にインフレになるかどうかは、いくつかの前提をおいて考えなければなりません。

最もインフレを発生させやすいのは、中央銀行が国債を引き受ける場合です。中央銀行は国庫を預かる銀行であり、中央銀行が国債を引き受けることは、政府預金がそれだけ増えることを意味します。政府は、その預金を財政資金として引き出して事業を実施、企業などに代金を支払います。時間的なズレはありますが、企業は受け取ったおカネを一般の銀行に預金します。つまり財政支出を通じて銀行の資金量をふくらませることになります。これが銀行の貸出能力を増大させ、民間投資を刺激していきます。国債を中央銀行が引き受けることは、通貨を膨張させ、インフレを起こす環境をつくっていきます。戦時国債はすべてこの形で発行されました。

これに対し、商業銀行が引き受ける場合は事情はかなり違ってきます。国債引受けは一時的に銀行

の準備資産を減少させますが、財政活動を通じ再び銀行に預金が集まります。銀行にとっては国債という資産が増加するだけで、預金という負債には変化が生じません。しかし、銀行に国債を引き受ける余裕がないのに、強制的に引き受けさせれば、一時的にせよ銀行は貸出を回収して資金をつくらざるをえません。また財政資金の需要がふえれば、それだけ民間投資を締め出すことにもなり、クラウディング・アウトという現象が生じます。そこで、商業銀行の要請に応じて中央銀行が国債を担保にした貸付、また国債オペレーションなどで無制限に通貨を供給していけば、結局は中央銀行が引き受けるのと同じことになります。

現在、財政法によって国債の発行を制限するとともに、第五条で日本銀行の引受けを禁じ、市中消化を原則としているのも、こうした理由があるからです。また日本銀行が、銀行の引き受けた国債を買いオペレーションで吸収していることに批判が出るのも、このような事情があるためです。日本銀行の買いオペは経済成長に伴って必要となる通貨（成長通貨）を供給するというワク内で行なわれており、必ずしもインフレ要因と決めつけるわけにはいきません。

個人が取得する場合は、貯蓄された資金、あるいは貯蓄に予定している資金で国債を買うことになりますから、政府支出と民間投資の振替わりに過ぎません。このような意味から、政府はできる限り国債の個人消化を進めようとしています。五十八年四月から証券会社だけでなく銀行にも国債の窓口販売が認められたのもそのためです。国債は、そもそも有効需要をつくりだすために発行するものですから、それ自体が景気を刺激する要因となるわけで、インフレになるかどうかは、発行の環境しだいであるといえるでしょう。

?66 地方債はどのような場合に発行されるのですか

地方債の発行にはきびしい制限があり、さらに自治大臣の許可も必要です。

都道府県や市町村が発行する債券を地方債といっています。地方債も国債と同じように、地方財政法で「地方公共団体の歳出は、地方債以外の歳入でもって、その財源としなければならない」と規定され、原則として起債は禁止されています。これに続けて、「但し、次に掲げる場合においては地方債をもってその財源とすることができる」と規定され、特定の場合に限って地方債を発行することを認めています。

地方財政法で認められているのは、①病院や上下水道など公営企業に必要な資金、②出資金・貸付金のために必要な財源、③災害復旧事業、④学校や庁舎など公共・公用施設の建設、⑤これらの事業のために発行した債券の借換え——の五つの場合です。これらの事業を適債事業といっています。

たとえば、災害が発生したとしましょう。大きな被害が出て、河川、道路などを改修しなければならなくなった場合、地方公共団体は集中的に大量の資金を必要とします。国の補助もありますが、住民も負担しなければならないでしょう。といって、単年度でまかなうにしてはあまりにも負担が大き過ぎ、借金せざるをえません。こうした場合には、応急措置として特別に地方債の発行が認められています。

地方債を発行するためには自治大臣の許可が必要です。自治省が大蔵省と協議、発行額の総ワクを定めた「地方債計画」と許可の方針を定めた「地方債許可方針」を作成し、これに基づいて許可を与えています。この許可制度には異論もありますが、地方自治法第二五〇条で「当分の間許可を受けなければならない」と定められており、昭和二十二年から続けられています。その理由としては、①金融情勢をみて地方債の総発行額を調整する、②自治体への資金の配分を公平に行なう、③安易な発行を抑制し財政を混乱させないようにする――などの必要性があげられています。地方債の返済は最終的には地方税収入でなされますから、安易に地方債を発行すれば、その返済のためにうんと地方税を増やさなくてはなりません。そのようにならないようにすることが必要でしょう。

しかしながら、不況などの影響で地方自治体も極端な財源不足に陥っています。このため、五十年度からは一般行政費をまかなうために大量の地方債が発行されました。減収補塡債、財政対策債と呼ばれるものです。赤字地方債ともいえるでしょう。このような地方債は地方財政法で認められていません。このため、それぞれに特別の法律がつくられました。現在も財源難は続いていますが、適債事業について起債充当率（事業費に占める起債でまかなう部分の割合）を大幅に引き上げる――つまり事業費のほとんどを起債で補う形で大量の地方債が発行されています。地方債の残高は証書借入れを含め五十七年度末で五十六兆三千七百十九億円にものぼります。

このほか、退職手当債、辺地対策事業債、公害対策事業債、同和対策事業債、激甚災害による歳入欠陥債などがそれぞれの特別法に基づいて発行され、また漁業補償などのために交付地方債も発行されています。

? 67 地方債は主にどのようなところで引き受けているのですか

地方債は大部分を資金運用部や地元銀行など金融機関が引き受けています。

地方債は、国債や事業債と同じように証券会社、銀行を通じて一般に売り出されます。しかし、その額は全体からみればごくわずかで、大半は政府が郵便貯金を原資とした資金運用部資金で引き受けたり、地元の銀行などが一括して引き受けています。一般に売り出される地方債を公募地方債、銀行などが引き受ける地方債を非公募地方債、あるいは縁故地方債などと区分しています。

地方公共団体には四十七都道府県のほか三千を超える市町村があり、そのすべてが地方債を発行していますが、公募債を発行できる団体は二十三団体に限られています。それは、①一般投資家にもよくわかるよう知名度が高い、②従来から縁故地方債を大量に発行しており、将来的にも継続的に大量の民間資金を必要としている——などの基準で選ばれた団体です。東京都、横浜市、名古屋市、京都市、大阪市、神戸市、大阪府、兵庫県の八団体が二十七年度から、北海道、神奈川県、静岡県、愛知県、広島県、福岡県、札幌市、川崎市、北九州市、福岡市の十団体が四十八年度から発行しており、宮城県、埼玉県、千葉県、京都府の四団体が五十年度から、広島市が五十六年度から加わりました。それぞれに引受シンジケート団が組織され、一般投資家にも販売されています。

これに対し縁故地方債は、この二十三団体を含め、すべての団体が発行しています。縁故という名

が示すように、発行団体とつながりの深い金融機関、共済組合、また起債事業について受益関係のある事業会社などが引き受けています。そのなかで指定金融機関（公金取扱銀行）が一括して引き受ける場合が最も一般的なケースです。たとえば、東京都は富士銀行、愛知県は東海銀行というように、都道府県には必ず指定金融機関があり、この指定金融機関が一括して引き受けてきました。

もっとも、地方債の大量発行で、指定金融機関だけでは一括して引き受けることができず、公募債と同じようにシンジケート団を組織するケースも増えています。五十年ごろから全国的に波及し、特に公募債を発行している公募団体のほとんどは縁故債についてもシンジケート団が引き受けています。従来は地方債のうち全体の五〇―六〇％を政府が郵便貯金を原資とした資金運用部資金で引き受けていましたが、国の財政難で政府引受けの割合が減り、民間消化分、特に縁故地方債が増え、その円滑な消化は大きな問題となっています。

ところで、地方公共団体は返済が一会計年度を超える借金をすべて地方債と表現します。しかし、長期の借入れであっても、債券発行の方法によらないで借り入れる場合があり、銀行など貸し手はこれを地方債とは表現しません。このため地方債を証券発行形式と、証書貸出（借入れ）形式に区別することもあります。政府引受けの地方債はすべて証書方式です。縁故地方債といっているもののなかにも、この証書方式の貸出があり、こうした用語の違いに注意しておく必要があります。

上下水道や病院など公営企業については公営企業金融公庫が貸し出しており、重要な地方債の引受機関となっています。外国で発行することもあり、戦後は米国で東京都、西独で大阪府、大阪市、横浜市、神戸市が発行しました。

?68 特殊債、政府保証債にはどのようなものがありますか

政府保証債を発行しているところは、国鉄、道路公団など十八機関にのぼります。

国鉄や電電公社、道路公団、また中小企業金融公庫などが特別の法律に基づいて発行する債券を、ひとまとめにして特殊債といいます。これらの機関には政府が出資しており、またその大半が政府の保証を得て起債しています。政府保証というのは、政府が元金と利子の支払いを保証することです。公社・公団の仕事は、本来なら国が実施すべき事業なのかもしれません。しかし、事業活動を効率的に行なうため、事業ごとに政府が出資した事業体をつくっています。国鉄や日本道路公団などは、このような目的でつくられた公共企業体です。国の事業活動の一端をになっているわけですから、政府は毎年度、国家予算とともに財政投融資計画をつくり、これらの公社・公団に供給する資金計画を定めます。財政投融資資金は郵便貯金、簡易保険年金、一般会計からの繰入れなどで構成されますが、政府保証債もその一部となります。政府保証の限度は、各法人ごとに定めて、国会の議決を得なければなりません。

政府保証債は、昭和十一年に北樺太石油会社債に政府保証をつけたのが最初の例です。戦後はしばらく禁止されていましたが、昭和二十八年度に新たに制度として設けられました。国営事業として実施されていた鉄道事業、電信電話事業が相次いで公社組織に切り換えられ、その資金調達を円滑に行

なうため政府保証債が発行されました。その後、産業基盤や社会環境の整備、さらに中小企業対策などの政策目的のため公社、公団、公庫、事業団が相次いで設立され、それぞれの法律で政府保証債の発行が認められました。政府保証債を発行している機関は別表のように十八機関ありますが、このほかにも京浜外貿埠頭公団、新東京国際空港公団、大阪国際空港周辺整備機構などが、政府保証債を発行することを認められています。

これらの機関が、政府の保証を得ずに起債することもあります。非政府保証債と呼ばれているものです。特別電電債、国鉄利用債などが代表的なものでしょう。主に金融機関が引き受けていますが、特別電電債は公募債として証券会社を通じて一般にも売り出されました。国鉄利用債は電化・複線工事資金などの一部を地方公共団体に負担してもらうために発行するものです。このほか、住宅・都市整備公団の造成する宅地を取得する人たちが購入する宅地債券、勤労者財産形成貯蓄制度に基づいて雇用促進事業団、住宅金融公庫が財形貯蓄取扱金融機関を引受先として発行する債券などがあり、電電債には、電話加入者が加入時に引き受けた加入者引受電電債がありますが、電電公社の民営化後は一般事業債の発行に切り替わりました。

鉄道債券	＝日本国有鉄道
中小企業債券	＝中小企業金融公庫
北海道東北開発債券	＝北海道東北開発公庫
公営企業債券	＝公営企業金融公庫
住宅・都市整備債券	＝住宅・都市整備公団
船舶整備債券	＝船舶整備公団
道路債券	＝日本道路公団
首都高速道路債券	＝首都高速道路公団
阪神高速道路債券	＝阪神高速道路公団
水資源開発債券	＝水資源開発公団
鉄道建設債券	＝日本鉄道建設公団
本四連絡橋債券	＝本州四国連絡橋公団
日本航空債券	＝日本航空㈱
電源開発社債	＝電源開発㈱
石油債券	＝石油公団
地域振興整備債券	＝地域振興整備公団
海外経済協力基金債券	＝海外経済協力基金
東北開発債券	＝東北開発公庫

政保債を発行している機関。

?69 金融債とはどのような債券ですか

利付金融債と割引金融債があり、現在六つの金融機関が発行しています。

発行額も大きく、個人投資家にとっても最もなじみ深い債券でしょう。特別の法律によって認められている特殊金融機関の発行する債券のことです。現在、次の六つの銀行・金庫から発行されています。①日本興業銀行＝興業債券、②日本長期信用銀行＝長期信用債券、③日本債券信用銀行（旧称・日本不動産銀行）＝日本信用債券（以上、長期信用銀行法で認められている）、④東京銀行＝東京銀行債券（外国為替銀行法で認められている）、⑤農林中央金庫＝農林債券（農林中央金庫法で認められている）、⑥商工組合中央金庫＝商工債券（商工組合中央金庫法で認められている）。

日本興業銀行、日本長期信用銀行、日本債券信用銀行は普通銀行ではありません。長期信用銀行法に基づいて設立されている銀行で、長期資金の貸出を主な業務としています。長期信用銀行法は長短金融の分離を目的として昭和二十七年に制定されたもので、これらの銀行は預金の受入れが制限されており、一般大衆から預金を集めることはできません。その代わり、債券を発行し、資金を調達できるようにしたのです。

東京銀行も外国為替銀行法に基づいて設立された銀行で、貿易・為替にまったく関係のない貸出を行なうことはできません。国内店舗も貿易・為替業務を行なううえで必要な重要都市に限られていま

す。このため、普通銀行のように預金を集めることができず、三十七年の法改正で資金調達の補助的な手段として債券の発行が認められました。農林中央金庫、商工組合中央金庫は、それぞれ農林漁業、商工業の金融の円滑化を図るために設立されたもので、これも資金調達手段として債券を発行することが認められています。

金融債は合同社債であるともいわれています。単独で社債を発行することがむずかしい企業が、債券発行金融機関から長期資金を借り入れることは、これらの企業が合同して債券を発行しているともみることができるからです。金融債は、そのような企業と一般大衆の資金を結びつける仲介的な機能を果たしているともいえるでしょう。

長期信用銀行、また農林中金と商工中金は資本金および資本準備金の二十倍、東京銀行は同五倍まで発行できます。興業債、長期信用債、日本信用債、東京銀行債の四つを銀行債、農林債、商工債を金庫債という場合もあります。割引債の償還期限はいずれも一年ですが、利付債は五年と三年に分かれ、東京銀行債のみが三年となっています。

金融債は発行額が大きく、流通市場での売買高も大きいところから、最も流通性のある債券として金融市場では無視しえない位置を占めています。一般大衆の貯蓄対象としても定着しています。このため長期の資金運用比率を高めつつある都市銀行も最近、金融債の発行やそれに代わるＣＤ（譲渡性預金）の期間長期化を求めるようになりました。

五年物利付金融債の発行利率は通常、十年物国債の表面利率と同水準になりますが、五十九年あたりからそうした硬直的な体系を見直す動きも出ています。

？70 社債にはどのような種類がありますか

電力会社の発行する電力債、その他一般事業債、転換社債などがあります。

社債にも、いろいろな種類があります。株式会社の発行する債券を文字どおり社債といっています。したがって長期信用銀行が発行する金融債、東北開発株式会社など特殊会社が発行する政府保証債も、社債のなかに含まれるでしょう。しかし実務上、これらの債券は金融債、政府保証債として区別されます。一般に社債といえば、事業会社が発行する事業債のみを指しています。

事業会社は、目的に応じ、またその時々の金融情勢を考えてさまざまな資金調達の手段を考えます。資金調達手段としては、増資、銀行からの借入れ、そして社債の発行などがあります。このなかで長期かつ安定した資金源として見直されているのが社債です。主に設備投資資金として活用されています。発行会社は電力、民営鉄道、鉄鋼、石油化学などに多く、社債は公益事業や基幹産業の重要な資金源になっていることがわかります。特に電力会社の起債が大きく、事業債のなかでは、これを電力債として一般企業の発行する債券と区別します。この場合、他の事業債は一般事業債といっています。日本放送協会（ＮＨＫ）と帝都高速度交通営団（地下鉄）の債券は特殊債なのですが、これも慣習的に一般事業債と同じように扱われています。

ちょっと変わった債券を紹介しましょう。社債も国債や地方債などと本質的に変わりはありませ

ん。多くの人たちから資金を集め、金利、償還期限、また償還の方法など一定の約束にしたがって元利金を支払っていきます。しかし、社債のなかには変わり種があります。転換社債、新株引受権付社債など、株式と事業債の合いの子のような債券があるのです。これらの債券と区別するために、一般の社債を普通社債といいます。

転換社債（ＣＢ）を例にとりましょう。普通社債と同じように発行されますが、途中で株式に転換できるところが大きな特色です。投資家は最後まで社債として持っていてもいいし、期限の途中で定められた一定の価格で株式に転換してもいいという独特の社債です。転換しなければ普通社債となんら変わるところはありませんが、一度株式に転換すると、再び社債に変えることはできません。投資家は株式に転換するまでは普通社債と同じように確定した利子を受け取り、株式に転換したあとは株価の値上がりや増資、配当などの利益を期待することになります。

これに対して新株引受権付社債（ワラント付社債）は、社債の所有者に、社債を発行した会社の新株引受権が付いているもので、社債権者は決められた期間内に、所定の価額により、一定の新株の発行を会社に請求することができます。

この新株引受権は、社債と株式とを組み合わせた資金調達の方法という点で転換社債と似ています。転換社債の場合は転換権が、新株引受権付社債の場合には新株引受権が、投資家にとっては甘味剤となり、他の長期債との関連で発行条件決定方式が硬直的な普通社債よりいずれも安い金利で発行されます。また、スイス・フラン建て転換社債やユーロ円債といった海外起債の道も広がったため、国内の普通社債発行額は減っており、社債発行制度見直しの必要性も指摘されています。

?71 外債にはどのようなものがありますか

国内で発行される円建て外国債券と、海外で発行される日本の債券などがあります。

日本の債券は、すべて日本で発行されるとは限りません。米国や欧州などで外国人を相手に公募されることもあります。逆に日本国内で発行される債券が、すべて日本のものであるとも限りません。外国政府や国際機関、また外国の私企業が日本で発行することもあります。いろいろな制約はありますが、国境を越えて資本は互いに交流しています。「アウト―アウト」（外―外）とか、「アウト―イン」（外―内）とかいう言葉がよく使われますが、これは国外（アウト）で資金調達して海外で使うとか、国内（イン）で使うとかの意味です。

まず日本で発行される外国債券について説明しましょう。ほとんどが円貨建てで発行されます。発行者は日本国内の投資家を相手に円貨で発行し、利子の支払いや元金の償還もすべて円貨で行ないます。日本国内の投資家にとっては、わが国の債券を買うのとまったく同じことになります。発行者は、円貨を外貨に替えて自国内で活用し、再び外貨を円貨に替えて元利金を支払うのです。

わが国初の円貨建て外債はアジア開発銀行債で、四十五年十二月に発行されました。続いて四十六年六月に第二号として世界銀行債が発行されました。その後、石油ショックの影響で一時中断されましたが、五十年七月のフィンランド国債で再開され、ニュージーランド、メキシコ、ブラジル、デン

マークなどの国債、また欧州投資銀行債、カナダ・マニトバ州債などが相次いで発行されています。五十四年三月には米国のシアーズ・ローバック社が戦後はじめて公募円建て債を発行しました。わが国の金利が欧米に比べて低いことから、東京市場は海外から資本調達の場として注目を集めています。さらに、五十八年秋のレーガン米大統領訪日をきっかけとした資本市場開放要求の高まりで、円建て外債の発行基準が緩和され、五十九年四月からハイペースでの起債が続いています。

これとは反対に海外で、わが国の企業、また公社、地方公共団体などが活発に起債しています。発行市場は米国、西独、スイス、またユーロ市場などで、ドル建て、マルク建てなどで発行していま す。公共債では、三十三年に米国で国債を発行したのが戦後はじめての外債発行でした。この資金は、産業投資特別会計を通じて電源開発株式会社に貸し付けられた産投国債といわれるものです。これに続いて日本電信電話公社、日本開発銀行、また東京都、大阪市などが発行しています。

事業会社では、神戸製鋼所が三十五年に米国で発行したのが戦後はじめてです。また転換社債は日立製作所が第一号として三十七年に米国で発行しました。事業会社は、内外の金利差を考え、海外の金利が安い時にはどんどん外債を発行しますし、また海外に債権を持っている場合、外債発行で債務をつくって為替相場の変動による損失を回避するためにも発行します。海外金利の安い時には発行が相次ぎ、国内の発行額を上回るほど活発になることもあり、特に最近はスイス・フラン市場での転換社債発行が盛んです。

なお、米国政府が米国内で発行した米ドル建ての国債や、英国企業がスイス・フラン建てで発行した転換社債なども、日本から見れば外債にあたります。

?72 債券の利回りはどのように表示されていますか

応募者利回りと発行者利回りがありますが、前者が投資の目安となります。

債券投資の収益は利回りで表示されます。利回りというのは、債券に投資することによって得られる収益が投資金額（元金）に比べ、どのくらいになるか――を示したものです。一般的に年利（％）で表示しますが、日歩（銭）で表わすこともあります。債券は確定利付証券ですから、あらかじめ収益を予測することができ、したがって利回りを予測することもできます。

銀行に預金する時、あるいは銀行からおカネを借りる時、金利は年利〇〇％というように表示されています。一年間に投資、あるいは借入れ金額の〇〇％が利子になるという意味です。債券利回りも基本的にはこれと同じことです。債券には利付債券と割引債券がありますが、利付債券には利札がついており、金額が表示されています。これが利子になります。利札に表示された金額の額面金額に対する割合を表面利率といいます。

しかし、債券は必ず額面金額で取得するとは限りません。額面以下の価格で発行されることがほとんどですし、流通市場では額面金額どおりに売買されることはまずありません。そこで、債券投資の収益を考える場合には、利子を額面金額と比べるのではなく、取得金額と比べる必要性が生じてきます。これを直接利回り（直利）といいます。単純に投資金額に対する年利子の割合をみたものです。

〔投資家〕

$$直接利回り(\%)=\frac{年利子}{取得単価}\times 100=\frac{額面金額\times 表面利率}{取得単価}\times 100$$

$$最終利回り(\%)=\frac{額面金額\times 表面利率+\frac{額面-取得単価}{償還までの年限}}{取得単価(新発債の場合=発行価格)}$$

〔発行者〕

$$発行者利回り(\%)=\frac{当初経費+(期中経費\times 平均年限)+最終経費+発行差額}{(発行額-当初経費)\times 平均年限}\times 100$$

債券利回りの計算式。

しかし、これでも十分だとはいえません。債券を保有することによって得られる収益は利子だけではないのです。債券は原則として額面で償還されますから、取得金額が額面金額を下回っている場合には償還時に差益を得られますし、逆に額面を上回って取得した場合には差損が生じます。この分も収益のなかに織り込まなければ、ほんとうの収益をみることはできません。償還差益・損は償還時に発生しますが、通常はこれを保有期間にならして収益を判断します。これを最終利回りといい、特に新しく発行される際の最終利回りを応募者利回りといっています。債券の募集広告には、この応募者利回りが表示されています。

一方、発行者の場合は、単に利子を支払うだけではありません。償還時の差額（発行差額）は発行者が負担しなくてはなりません。また債券の発行に際して、引受証券会社に引受手数料を支払わなくてはなりませんし、発行した債券が登録されるのであれば、登録機関に登録手数料を支払わなければなりません。これらの費用は、すべて発行者が負担することになっており、資金調達のための費用となります。こうした費用をすべて織り込んだものが発行者利回りとなります。なお、債券利回りは日本の場合、利付債は単利、割引債は複利で表示され、小数点以下三ケタまで表わされます。四ケタ以下は切り捨てます。

？73 割引債とはどのようなものですか

割引債は発行価格が額面価格より安いもので、その差額が利子に相当します。

債券には利付債券と割引債券があります。すでに述べたように、利付債券は債券に利子額、利払期日、債券番号などを記載した利札がついており、この利札を定められた期日に指定場所に持参すれば、利札と引換えに一定の利子を受け取ることができます。しかし、割引債にはこのような利札はついていません。その代わり必ず額面以下の金額で発行され、満期日に額面価格で償還されます。発行価格と額面価格との差額（償還差額）が利子に相当します。投資家は額面以下の価格で債券を買うのですから、利子分を先取りする格好となります。発行者からみると、利付債券が利子をあと払いする債券とすれば、割引債券は利子を先払いする債券といえましょう。

償還差額を利子相当分とするために、発行価格や利回りは利付債とはかなり違った方法で計算されます。少し複雑になりますが、まず発行価格は、次のような算式で求められます。

$$額面金額\times割引率\times\frac{割引日数}{償還日数}=割引額（償還差額）$$

$$発行価格=額面金額-割引額$$

額面からどのくらい割り引いて発行するかを表わしたものが割引率です。六十年八月に発行された

割引金融債の割引率は五・四二%となっています。期限は一年ですが、割引日数は債券の売出日と償還日を加えた三百六十六日になりますので、額面一万円の割引額は

$$10{,}000\times0.0542\times\frac{366}{365}=543.484\cdots(544円)$$

となります。この割引額を額面から差し引いた九千四百五十六円が、額面一万円当たりの発行価格となります。投資金額(九千四百五十六円)に対する利子(五百四十四円)の割合、つまり応募者利回りは年率五・七五二%です。

割引金融債は、毎月、二十八日から約一ヵ月間を売出期間として売り出され、この期間はいつでも買えます。先に計算した例は売出満了日の価格ですが、それを満了日以前に買えば、その間の利子分をさらに割り引いた価格で買えます。このように割引金融債の発行(売出)価格は毎日変わります。

中期割引国債は五十二年一月にはじめて発行されました。国債の大量発行に伴い、少しでも国債を売れやすくするために種類の違った国債を設けることにしたのです。期間は五年で、原則として奇数月ごとに発行されています。このほか、五十六年の後半からドル建ての割引債(ゼロクーポン債)が日本でも盛んに売買されるようになり、節税をかねた高利回り商品として人気を集めています。

割引債の償還差益は、現在の税法では利子所得ではなく雑所得とされています。さらに、割引金融債、中期割引国債の償還差益は分離課税の対象とされており、発行時に一六%の分離課税を支払えば課税関係は終了します。先の六十年八月発行の割引金融債の例ですと、税金込みの九千五百四十三円を支払えば済むわけです。高額所得者の間では、こうした税金面の有利さから割引債が根強い人気を得ています。

?74 抵当証券とは何ですか

長期の不動産担保付き債権を一種の有価証券にしたもので、高利回りの金融商品です。

抵当証券法に基づいて国の機関である登記所が発行する有価証券のことです。同じ有価証券でも社債のように借り手が自ら発行するのではありません。この点が抵当証券の特徴です。

仕組みをもう少し詳しく説明しましょう。まず住宅購入資金や事業資金を調達したいと考える個人や中小企業事業主が、土地や建物などを抵当にして抵当証券会社へ融資を申し込みます。抵当証券会社は不動産鑑定士にその担保の評価を依頼し、十分に担保価値があると判断すれば、融資します。その際、抵当証券会社は登記所に抵当証券の発行を申請します。

投資家は抵当証券会社に抵当証券の購入を申し出て、代金を払い込みます。抵当証券会社は投資家が買い取った抵当証券を銀行に保護預かりにし、それに見合う証書を投資家に発行します。

こうして発行される抵当証券は、不動産担保付きの貸付債権を流動化させることによって、借入者には長期安定資金を供給し、投資家には有利な運用対象を提供するといった役割をになうことになります。

抵当証券の大きな魅力は、利回りが高い点です。他の金融商品と違って金利体系にしばられません。抵当証券は一年物、二年物、三年物が一般的ですが、期間が同じ他の金融商品に比べて、利回り

はいずれも高くなっています。

抵当証券の購入単位は五十万円または百万円が普通です。満期まで持っていれば、六カ月ごとに利息が入り、かつ元金もまるまる戻ってきます。満期前でも換金は可能です。また、税制面ではマル優（少額貯蓄非課税制度）は利用できませんが、利息は雑所得扱いです。個人については課税されない場合が多いことも見落とせません。

抵当証券は証券取引法上の有価証券ではないので、いわゆる証券と銀行の垣根はありません。このため抵当証券の将来性に目をつけて、五十八年以降、証券会社、銀行、リース会社などが相次いで抵当証券会社を設立しました。現在、四十社前後に達しています。

抵当証券は投資家の人気を呼んでいますが、今後の問題は融資先の開拓といえます。わが国の場合、個人向けの住宅ローンが多い米国とは異なり、抵当証券によって融資を受けているのは大半が中小企業です。銀行の融資対象からはずれている企業が抵当証券会社に融資を申し込む例が圧倒的に多いのが実情です。

このため、十分な担保を持ち、抵当証券会社が安心して資金を貸し出せる物件は意外に少ないといわれており、いかにして優良物件をさがすかが大きなポイントになりそうです。

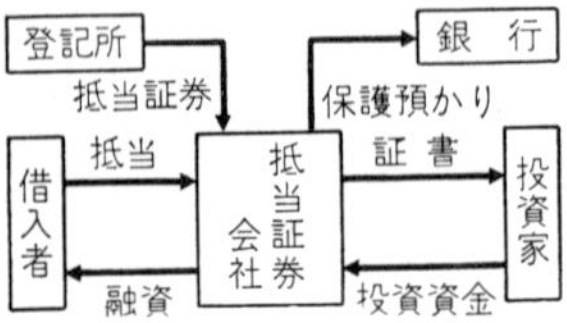

抵当証券発行の仕組み。

8
起債市場

?75 債券の発行はどのように行なわれるのですか

債券の発行方法は直接発行と間接発行に分けられ、それぞれさらにいくつかの方法があります。

債券は不特定の多くの人たちから、一時に何十億、何百億円というおカネを集めるために発行するのですから、発行に当たってはそれなりの手続き、仕組みといったものが必要になります。そこで登場するのが証券会社や銀行など、債券発行の実務に詳しい専門家たちです。専門家の介在により、社債を一度も発行したことのない企業でも、スムーズに資金を調達できるわけです。債券が発行者から投資家に渡るまでの過程を発行市場といいますが、株式の場合にも発行市場という言葉が使われますので、混同を避けるため債券の場合には起債市場という表現が使われます。起債市場には、いくつかの重要なルールがありますが、まず発行の方法について述べてみましょう。

▽発行方法＝発行者がみずから必要な手続きをして直接投資家から資金を調達する直接発行と、専門家を仲介者として間接的に資金を調達する間接発行とがあります。広く投資家を募ることを公募といいます。わが国で現在広く利用されているのは間接発行で、発行者は手数料を支払い、第三者（銀行あるいは証券会社）に募集を委託し、かりに募集額が発行額を下回っても、第三者がその残額分を負担するという形で発行します。間接発行の請負募集という方法です。これに対し、直接発行は発行体みずからが債券実務に詳しいか、あるいは信用があって債券発行にかかわる危険を負うことができ

る機関に限られています。公募債では日本興業銀行などが発行する金融債、日本電信電話公社が発行する電信電話債など、法律でいくつかのものに限られています。

▽発行手続き＝企業が発行する普通社債、転換社債については、まず引受会社と受託会社を決定します。引受会社の幹事には発行企業と関係の深い証券会社が、また受託会社には主力銀行がなるのが通例です。どちらも発行企業に代わって社債の売りさばきや、募集に関する一切の手続きを代行する重要な機関です。次に発行企業は商法の定めにより取締役会を開いて、社債発行の決議をします。決議する内容は社債発行額、利率、発行価格、償還方法、期限、担保、資金の使用目的などです。このうち利率、発行額、発行価格など、社債の重要な条件については、その時々の金融情勢に応じて、発行会社、引受業者、受託銀行など起債関係者が発行のつど決める建て前ですが、普通社債の場合は金融政策当局の政策が反映され、債券の格付けに応じて一律に決められています。

　募集に入る前に、受託会社とは募集委託契約を、また担保をつける場合には、同じ受託会社と信託契約を結びます。一方、引受会社とは「引受ならびに募集取扱契約」を、さらに元本、利子の支払い事務を取り扱う銀行、証券会社との間に「元利金支払事務取扱契約」を結びます。こうした重要な契約を結んでから、社債申込証の作成（受託会社が代行）、募集公告などの手続きを経て、募集が開始されます。発行企業が社債による資金調達を計画してから、実際に資金を手に入れるまでは早くて二ヵ月程度はかかるようです。

債券の発行方法
- 直接発行
  - 直接募集
  - 売出発行
- 間接発行
  - 委託募集
  - 引受（請負）募集
  - 総額引受

債券の発行方法。

？76 引受けとはどういうことですか

債券を広く一般に売るために、その全部あるいは一部を取得することです。

まず引受けという言葉について説明しておきましょう。〝引受け〟とひとくちにいっても、現在使われている言葉の意味には二通りあります。たとえば「国債の大量発行時代を迎え、個人にも積極的に国債を引き受けてもらう必要が出てきた」などといいます。この場合は、単に債券に応募し、引き取るという意味です。しかし厳密な意味での引受けは、このようなことを指してはいません。引受けというのは、債券を広く一般に売りさばく目的で、債券の一部あるいは全額を取得することです。この業者のことを引受業者（アンダーライター）といいます。

債券は、発行総額のすべてが売りつくされてはじめて成立するとされています。逆にいうと、売れ残った場合には債券は成立しないと解釈されるわけです。投資家は全体としてどのくらい発行されるのかをみきわめて、その一部分に投資するのですから、売行きによって発行総額がクルクル変わるようでは困ります。発行者にとっても、調達金額が確定しないのでは資金計画をたてることができません。金融債のように、売出額でもって発行総額に代える売出発行形式の債券もありますが、他の債券は発行予定額をすべて売りつくさなければなりません。

そこで、発行者に代わって発行予定額のすべてを売りつくし、債券を成立させる役割を果たす専門

家が登場します。これが引受業者なのです。債券の大部分が請負募集方式で発行され、これを請け負った業者がかりに売り残した場合でも、その債券を引き取るようにしているのも、こんな事情があるためです。引受業者は売れ残りを引き取る危険を負うことになるわけで、その代償としても、発行者は引受業者に対し引受手数料を支払わなければなりません。

引受行為は、国債、地方債、政府保証債については銀行・信託会社などの金融機関も行なうことができますが、事業会社が発行する社債については、証券会社でなければ営業として行なうことができません。昭和二十三年に制定された証券取引法第六十五条の規定によるものです。

社債については、通常二十社前後の証券会社で引受シンジケート団（引受シ団）を結成し、共同して引き受けます。証券会社は全国で数百社ありますが、このうち引受業務を営むことのできる証券会社は資本金二億円以上で、引受業務につき大蔵大臣から免許を受けたものに限られています。引受シ団メンバーのうち一社（まれに複数）は幹事証券会社としてシ団を代表し、発行者や受託会社と接触しながら募集を円滑に進める努力をします。

国債は市中消化を建て前としており、そのために国債募集引受シ団を組織しています。シ団は、都長銀、信託、地銀、相銀、生・損保などと証券会社で構成しています。これら引受団が日本銀行と「募集取扱いおよび引受契約」を結び、募集を取り扱い、応募額が発行総額に達しない時にも、その残額を引き受けることを約束します。現実には引受団内部の約束で、引受団メンバー以外に売りさばく仕事は証券会社だけが行なっていますが、銀行も五十八年四月から「窓口販売」といって、一定の募集期間内であれば国債を売ることができるようになりました。

77 債券の発行条件はどのようにして決めるのですか

表面利率、発行価格、償還期限の三つが最も重要な条件で、慎重な検討が必要です。

表面利率、発行価格、償還期限、償還方法、手数料などが発行条件の主なものです。時価転換社債の場合には、株式に転換する時の転換価格が重要な要素としてあげられます。このうち、その時々の金融情勢次第で大きく変動するのが表面利率、発行価格、償還期限の三つです。この三要素により応募者利回りが決まります。応募者利回りをあまり高くすると、発行コストが高くなりますし、逆に低くすれば債券が売れなくなる心配があります。

次に、具体的な決め方をみてみましょう。

▽国債＝「国債に関する法律」「国債規則」「財政法第四条第一項の規定により発行する国債の発行等に関する省令」などに基づき、発行のつど定められ、告示することになっています。告示の前に国債引受シ団の代表者などからなる国債発行世話人会の意見を聞いて決めます。

▽地方債＝地方自治法第二百五十条などの規定に基づき、自治大臣の許可が必要です。自治大臣は許可に際し大蔵大臣に相談することになっています。公募債については大蔵大臣と自治大臣とが、受託銀行や引受証券会社と協議のうえ、各銘柄を一律に同条件で決めています。

▽政府保証債＝発行機関が個別に発行のつど条件を決め、主務大臣の認可を得ます。実際には大蔵

大臣と主務大臣が受託銀行、引受証券会社と協議し、各銘柄を通じて一律に同一条件に決めていま す。

▽金融債＝発行銀行の自主的決定が建て前ですが、実際には大蔵省、日銀と事前に連絡をとり、その意見を聞いて決めています。

▽事業債＝建て前は起債関係者が自由に決めることになっていますが、実際は大蔵省、日銀の意見を聞き、起債基準のなかの格付け基準に沿って、画一的な条件が当てはめられています。

このように、いずれも人為的に決められていることがよくわかります。金利は流通市場での相場の動きや資金の需給バランスなど、市場実勢を基準にして決まっていくのが本来の姿です。そのような意味から実勢に合わせて発行条件を弾力化せよといわれています。最近は中期国債が入札方式で発行されるようになり、また一般の債券も比較的ひんぱんに発行条件の改定が行なわれるようになりましたが、まだまだ問題が残っているようです。

問題の第一は、債券の金利は長期にわたって支払われるものであるのに、公定歩合の引下げ、引上げなど短期金利の動向にスライドさせて動かす点でしょう。長期金利は短期金利とは別の要因で決まってしかるべきだという考え方からすれば、短期金利の変化に応じて人為的に長期金利を改定することは不自然です。第二は、あらゆる公募債のなかで最も低い利回りの長期債は国債で、国債の発行条件が下限になっている点です。第三は、この国債を最低位におき、金融債、地方債、事業債と、下から上へ金利の序列が決まっており、横ならびに自動的に金利が決まってしまう点です。

? 78 債券の安全性はどのように確保されるのですか

発行限度ワク、起債会による選別、ディスクロージャー、担保などが決められています。

債券は、何よりもまず安全でなくてはなりません。広く一般大衆に売り出され、また転々と流通しているのも、「安全だ」という信頼があるからでしょう。利子の支払い、あるいは元本の償還がとどこおるような事態がひんぱんに発生するようでは、誰も債券に投資しなくなってしまいます。債券の安全性は、基本的には発行者の信用力に起因するとされていますが、安全性を強化するための制度、慣習もいくつか設けられています。

まず、商法では社債および転換社債の発行に制限ワクを設けています。制限ワクの基準となるのは資本金および準備金の合計額か純資産額か、いずれか少ない金額です。一般の事業会社、ガス会社はこの基準の二倍、電力会社は四倍まで発行していいことになっています。金融債についても、東京銀行が資本金・準備金の五倍、他の金融機関は同二十倍という限度額が設けられています。こうした制限ワクを設けているのは先進国のなかではイタリアと日本ぐらいで、制限ワクなどいらないのではないかといった意見も多いようですが、安全性を高めていることは確かでしょう。国債や地方債についても、財政法や地方財政法で発行が制限されており、きびしいワクが設けられています。これについても異論はあるようですが、安易な起債に走って財政が破綻するようでは、債券の安全性がそこなわ

れることになってしまいます。

社債については、さらに引受証券会社と受託銀行で構成している起債会で発行銘柄を選別していま す。社債を公募できる会社は、経営内容のしっかりした優良企業であることが望ましいわけで、引受証券会社はみずからの責任で募集に当たる以上、銘柄を選別してできるだけ安全な社債を投資家にすすめる必要があるでしょう。このような銘柄選定に際して、一定の基準を設けて起債をチェックしているのが起債会です。いくつかの財務指標で単純に選別する方法を採用しています。これで安全性を完全に測定できるかどうかは疑問ですが、安全性を高める手段にはなっているといえるでしょう。

また社債を発行する場合には、特例の約四十社を除き担保をつけることが原則(有担保原則)になっています。さらにディスクロージャーが義務づけられています。ディスクロージャーというのは、経営内容などを投資家に公開することで、投資家に投資に適するかどうかの判断をしてもらうわけです。担保は慣習ですが、ディスクロージャーは証券取引法によって社債、転換社債を発行する時に「有価証券届出書」を作成して大蔵大臣に提出させ、同時にこれと同じ内容の〝目論見書〟を投資家に提供させることが定められています。ただし、商法による基準内で発行される普通社債については免除されています。

こうした制度は、往々にして統制色の濃いものになりがちで、現実に起債を不当に制限するなど種種の弊害を生み出す原因となっています。またどの制度にも問題があり、それだけで安全性が確保されていることにもなっていませんが、互いに補完しあって完全性を高めているといえるでしょう。

?79

企業の外債発行が増えているのはなぜですか

海外では低いコストで資金調達ができるため、国内起債市場離れが進んでいます。

社債の発行は企業にとって有力な資金調達の手段です。以前は社債発行というと、国内での発行が主流でした。しかし、最近ではスイス・フラン市場やユーロダラー市場など海外市場で発行する外貨建て債券、すなわち外債の発行が増加しています。

五十九年度の社債発行額は国内債、外債を合わせて五兆一千二百九十八億円と前年度を四七・四％も上回りました。このうち外債発行額は二兆七千九百五十三億円と四五・七％増え、過去最高になりました。この結果、外債発行額は国内債発行額（二兆三千三百四十五億円）を五十八年度に続いて上回りました。

外債発行が増えているのは、企業の財務戦略においても国際化が進み、企業はどの市場で社債を発行すれば最も低いコストで資金調達ができるかを考えるようになったからです。四十年代の外債発行企業は基幹産業や海外でも知名度の高い一部の大企業に限られていましたが、現在は中堅企業でも起債が相次いでいます。

海外の投資家が日本企業に対する関心を高め、低い利率でも海外市場で投資家に受け入れられるようになったことも外債発行拡大に拍車をかけています。スイス市場では東京株式市場の株価堅調を背

景に日本企業が発行する転換社債の人気が高まり、五十九年二月には転換社債の表面利率が一・八七五%と二%を割り、六十年九月には一・三七五%まで低下しました。この結果、スイス・フラン建て転換社債の発行額は五十八年度に八千六百十九億円と前年度比倍増、その後も高水準で推移しています。

外債発行が増えているもうひとつの理由は、国内に比べて発行手続きが簡単なことです。例えば、日本ではおカネを借りるのに担保が必要ですが、欧米では担保価値の高い財産を持たない企業でも、収益力が高く、安定していれば、無担保で借りられます。また、国内で発行する普通社債の金利は長期国債の金利を下回ってはいけないというルールがありますが、欧米ではこうした制約はありません。外債発行の増加は国内の有担保原則見直しや発行条件の弾力化を促す要因になっているわけです。

外債の発行増加は、銀行の証券業務拡充にもつながってきます。銀行は国内で債券引受業務ができません。しかし、ロンドンやスイスにある邦銀の証券現地法人は引受業務をすることができます。現在は大蔵省の三局（証券局、銀行局、国際金融局）合意があり、銀行の証券現法が日本企業の外債引受けで主幹事にはなれませんが、外債発行増大で銀行の引受業務は年々拡大しています。

外貨建て転換社債の発行が増えると、株式市場で外人投資家の売りが増えるという関係も注意しておく必要があります。外人投資家は転換社債を株式と同じ感覚で買っています。ですから、転換社債を株式に転換できる価格（転換価格）よりも株価が高くなると、すぐに転換社債を株式に換え、株式を売って値上がり益を得るという行動に出ます。今後、株式への転換を控えている外貨建て転換社債は六十年七月末で約二兆一千億円にものぼります。外貨建て転換社債の発行増は株式相場の需給に影響を及ぼしてくるとみていいでしょう。

?80 ユーロ円債とは何ですか

海外にある円を調達する起債手段で、五十九年度から規制が大幅に緩和されました。

日本の銀行の海外支店を含む海外の銀行に預金などの形で滞留している円を「ユーロ円」と呼びます。米国外にあるドルを広くユーロダラーと呼ぶのと同じことです。そうしたユーロ円市場で発行される債券をユーロ円債といいます。

従来、ユーロ円債を発行できるのは、非居住者のうち世界銀行など日本が加盟している国際機関や信用度の高い西欧や北欧諸国の政府、政府機関などごく一部に限られていました。ユーロ円市場には日本の金融当局の金融調節が直接及ばないため、発行を自由にすると金利が乱高下し、日本国内の金利動向にも悪影響を与えかねないと考えられていたからです。

ところが、五十八年になって米国政府が対日市場開放要求の一環として金融・資本市場の自由化、国際化を強く求めてきました。これに基づいて設置された日米円・ドル委員会で五十八年十一月から五十九年春まで集中討議をした結果、「円の国際化」策の一つの柱としてユーロ円債発行規制が大幅に緩和されることになりました。

第一に、五十九年四月から日本の企業など居住者によるユーロ円債発行が解禁となりました。とはいっても、原則として無担保で発行できるユーロ円債を居住者に無制限に認めると、国内社債市場が

ますます縮小してしまいます。そこで大蔵省は、ユーロ円債と競合する国内無担保の転換社債と普通社債の適格基準を大幅に緩和、それをそのまま居住者によるユーロ円債発行の適格基準としました。国内市場とユーロ円市場の整合性をとる形で居住者ユーロ円債を解禁したわけです。

六十年六月現在、ユーロ円債のうち転換社債を発行できるのは百六十四社、普通社債を発行できるのは三十二社となっています。

第二に、五十九年十二月からの実施で、非居住者によるユーロ円債の発行規制が大幅に緩和されました。従来の適格機関に加えて、中進国政府や先進諸国の州政府・地方政府、さらには外国の民間企業も一定の基準を満たせば、ユーロ円債を発行できるようになりました。

この場合も、非居住者が日本国内で発行する円建て外債の適格基準を緩和し、非居住者ユーロ円債の適格基準をそれに合わせるという、国内市場への配慮をしています。六十年四月にはこの基準がさらに緩和され、海外の優良企業は大半がユーロ円債を発行できるようになっています。

ユーロ円債のこのような自由化措置によって、海外での円の利用が増えることになります。同時に日本企業も資金調達の道が広がります。特に日本の企業にとってユーロ円債は無担保であるうえ、資金調達コストも国内の起債コストや長期プライムレート（最優遇貸出金利）に比べて低く、魅力ある資金調達手段といえます。この結果、ユーロ円債の発行が増えることは国内起債慣行や長期金利体系を弾力化し、自由化をさらに加速する要因になるとみられます。

?81 起債基準とはどのようなものですか

債券発行の適否を決める適債基準と、発行条件を区分けする格付け基準とがあります。

債券は、国や地方公共団体だけでなく、事業会社も自由に発行することができますが、現実にはどんな企業でも発行できるわけではありません。受託会社、引受会社で構成する起債会がきびしく制限しており、一定の基準を満たす企業でないと普通社債を公募発行できないようにしています。これらの基準を起債基準といい、起債会社の選別を行なう適債基準と、発行条件を四段階に区分けする格付け基準との二つがあります。社債はＡＡ格とかＡ格とかに選別され、発行条件も一律に区別していますが、これもこの基準によるものです。

基準の具体的な内容は別表のようなものですが、簡単にその特徴を述べると、まず適債基準では純資産（自己資本）と、最近三期間の配当が問題になります。このほかに過去の利益蓄積が資本金をどのくらい上回っているかを測る純資産倍率、また自己資本の充実ぶりを表わす自己資本比率、すべての資本と負債を使ってどれだけの利益を稼ぎ出しているかを表わす使用総資本事業利益率、利益で社債や借入金の利子支払い（インタレスト）を何倍カバーしているかを示すインタレスト・カバレッジ・レシオなど合計四つの比率が適用されています。格付け基準も同じようなモノサシが使われています。

社債を発行した経験のない会社がはじめて発行する場合には、新顔としてさらにきびしい基準が設けられ、商社についてはその事業の性格から他の業種と同じ基準で測れないために、特別の基準が設けられています。転換社債の発行についても証券界が自主的な基準を設けています。

起債会がこのような基準を設けているのは、発行企業を選別して投資家が安心して買えるようにするのと、起債を円滑に運ぶという二つの目的があるようです。しかし、最近ではこうした制度は企業の自由な資金調達の道を閉ざすものとして批判的な意見も出ています。最近はスーパーなど従来の起債慣行にあまりなじみのない企業の資金調達が活発になったり、欧米の自由な起債慣行になじむ企業が増えてきたことも背景にあるようです。五十九年四月から居住者によるユーロ円債発行の解禁に伴い、国内での無担保債発行基準も緩和されました。

純資産	質的基準				
	純資産倍率	自己資本比率	使用総資本事業利益率	インタレストカバレッジレシオ	配当率
100億円以上	1.2倍以上	10%以上	5%以上	1.0倍 以上	直近3期連続6%以上または直前期8%以上
60億円以上	1.5倍以上	12%以上	6%以上	1.2倍 以上	直近3期連続8%以上または直前期10%以上

適債基準。

<table>
<tr><th rowspan="2">格</th><th rowspan="2">純資産</th><th colspan="4">質的基準</th></tr>
<tr><th>純資産倍率</th><th>自己資本比率</th><th>使用総資本事業利益率</th><th>インタレストカバレッジレシオ</th></tr>
<tr><td>AA</td><td>1,100億円 以上</td><td rowspan="3">1.5倍以上</td><td rowspan="3">15%以上</td><td rowspan="3">6%以上</td><td rowspan="3">1.2倍以上</td></tr>
<tr><td>A</td><td>550億円以上</td></tr>
<tr><td>BB</td><td>100億円以上</td></tr>
<tr><td>B</td><td>60億円以上</td><td>2.0 〃</td><td>20 〃</td><td>7 〃</td><td>1.5 〃</td></tr>
</table>

格付け基準。

?82 受託銀行はどのような役割を果たすのですか

社債募集に必要な事務手続きを行なうことと、担保の受託が主な役割です。

社債の安全性を考えるうえで、忘れてはならない存在があります。債券には、受託銀行が重要な役割を演じているのです。受託銀行の役割は二つあります。その一つは、社債の募集に必要な事務手続きを行なうとともに、発行後も社債権者のために必要な一切のことを行なう任務です。たとえば、諸契約書や払込金の授受、社債原簿の作成は受託銀行の役割です。さらに発行会社が利息の支払いや定時償還を約束どおり実行しなかった場合、社債権者集会を開いて決議し、決議にそって会社に弁済を要求したりします。社債を公募で発行する場合、必ず受託銀行が参加することになっているのもこのためです。商法の規定で起債に際しては、受託銀行と信託契約を結ばなければなりません。多くの場合、受託銀行には発行会社の内容に詳しい主力取引先銀行がなります。社債権者にとって受託銀行は最も頼りになる機関だといえるでしょう。

受託銀行のもう一つの役割は、担保の受託です。事業会社が発行する普通社債で無担保が認められているのは六十年七月現在で約四十社。大部分は担保付きですし、転換社債も担保付きが多いのがわが国公社債市場の特色です。この担保を評価したり、管理するのが担保の受託会社の仕事なのです。これは「担保付社債信託法」という特別の法律で義務づけられています。

この役割を担うことができるのは銀行、信託銀行、長期信用銀行です。募集の受託銀行と同じ銀行になるのが通例で、発行会社は担保付社債信託法により、募集の信託契約とは別に担保管理のための信託契約を結ばなければなりません。担保の受託銀行は社債権者に代わって担保が発行額を保証するだけの十分な価値をもっているかどうかについて責任をもち、また担保物件を管理します。万一の場合には担保を処分して元本、利子を確保するという強力な投資家保護を行ないます。

しかし発行会社が倒産して、担保価値が変わり、元利をすべてカバーするだけの保証がなくなった時にも、社債権者を完全に保護しなければならないかといえば、そうではありません。どちらかというと受託会社の役割は事務手続き的な仕事が多く、社債の安全性をトコトン守るための法律的な裏づけがあるわけではありません。

五十年に倒産した興人や、五十三年に倒産した永大産業のように、かりに発行会社が倒産しても、発行された社債や転換社債は額面で受託銀行が買い取って、結果的に投資家はまったく損失をこうむらずに済んだ例もあります。これは受託銀行が、道義的な義務感からそうした行為を行なったに過ぎず、法的に義務づけられているわけではありません。

発行会社が倒産しても、受託銀行が買い取ってくれるとは限りません。「債券は絶対に安全な投資対象だ」と考えるのはきわめて危険だといえましょう。

？83 担保にはどのようなものがありますか

物的担保と人的担保（保証人）がありますが、担保があるから絶対安全とはいいきれません。

担保は、債券の発行者が万一、元本や利子の支払いが不能になった時にも、返済の原資を確保できるようにという配慮から、社債などにつけられるものです。わが国の金融制度ではこの担保が重要な役割を果たしており、銀行から借金をする時に、土地や家屋を抵当にとられたり、定期預金を担保にしたり、あるいは保証人をたてたりします。債券も同じで、担保には物的（物上）担保と人的担保の二種類があります。人的担保では国が保証人となる国鉄などの政府保証債や、一流銀行が保証して欧州などで企業が発行する銀行保証付き外債などの例があります。

物上担保は企業が国内で発行するほとんどの普通社債と転換社債につけられています。担保付社債信託法によって、社債につけることのできる担保は十九の種類に限られ、主要なものを列挙すると、不動産、船舶、自動車、航空機、鉄道、工場、運河、漁業財団、企業担保などがあります。

鉄道、工場、運河などは、それぞれの経営のために利用されている土地、建物、機械、車両等を個々に評価するのではなく、まとめて一個の集団財産と考えて、そのうえに抵当権を設定するものです。

また企業担保というのは、企業の総財産を一つの担保とみなす制度で、信用のある巨大な企業にのみ認められています。いちいち社債発行のつど抵当権を設定すると膨大な費用と日数がかかるので、

これを簡単にするために生まれた制度です。現在この制度が適用される企業は、原則として資本金百億円、自己資本（純資産）三百三十億円以上の企業です。配当についても、自己資本が三百三十億円以上で五百五十億円未満の企業は五期一〇％以上でかつ三期連続一二％以上、自己資本五百五十億円以上の企業は五期一〇％以上という一定の基準を満たす必要があります。

企業担保に似たものとしては、一般担保（ゼネラル・モーゲージ）という制度もあります。これも企業の総財産を一個の担保とみなす点は企業担保と同様ですが、特別の法律で認められたところ以外には適用されません。受託銀行を定めたり、担保付社債信託法による契約を省くことができる点が、企業担保と違う点です。物上担保に比べれば弁済を受ける権利が劣ると解釈されており、このため一般担保で社債を発行できるのは、民間企業では九つの電力会社、それに帝都高速度交通営団、首都高速道路公団、電源開発株式会社、石油開発公団、日本航空株式会社などです。

担保を評価するのは一般的に受託銀行ですが、評価に際しては、①時価換算するとどうか、②同じ機能をもつものを再取得するとすればいくらかかるか、③対象となる機械や建物などが将来どの程度収益を生むか――などの点が考慮されます。しかし万が一、実際に担保を処分して社債の返済に当てなければならなくなった場合には、希望どおりの価格で処分できるかどうかの保証はありません。

担保の設定方法にオープン・エンド・モーゲージという方法がありますが、これは同一の担保物件で、たとえば第一回一号、第一回二号というように、二回以上社債を発行できる制度です。これに対し、一回ごとに別々の担保をつける制度がクローズド・モーゲージです。前者の方が便利なのはもちろんで、現在大部分の発行はこれを採用しています。

? 84 無担保債にはどのようなものがありますか

国債、地方債、金融債などで、わが国では普通社債は担保付きが原則です。

無担保債というのは、広い意味では担保付社債信託法に基づく十九種類の物上担保付社債以外のすべての社債をいう場合があります。それでいうと一般担保付社債、政府保証社債なども無担保債ということになります。しかし、一般的にはもっと狭い意味で使っています。つまり、まったく保証もなく担保もない債券のことで、国債、地方債、金融債は無担保債に入ります。しかし、企業の発行する債券では、普通社債は担保付きが原則であり、転換社債は無担保が増えてきたとはいえ、まだ担保付きが多いのが現状です。

わが国では長い間、普通社債は現実問題として無担保では発行できませんでした。しかし五十四年春、戦後初めて完全無担保の普通社債、転換社債が登場し、資本市場にとって画期的なできごととして注目されました。無担保債のうち一つは米国のシアーズ・ローバック社が発行した二百億円の普通社債であり、もう一つは松下電器産業が発行した五百億円の転換社債です。

ここであえて〝完全無担保〟という表現を使ったのは従来の無担保転換社債と区別するためです。少し複雑ですが、四十八年に導入されてその後増えてきた従来の無担保転換社債は、別に不動産や株式・債券などを、いつでも担保として提供できるよう留保しておくという契約が結ばれることになっ

ています。この物件を留保物件といいます。これでは完全な無担保とはいえないでしょう。

無担保債が登場した背景には、金融の国際化が進んだことに伴い、海外の企業が資金を調達する場としてわが国の資本市場に注目し始めたことや、わが国企業が欧米で債券を発行する例が増え、それにつれて自由な起債慣行になじむ企業が急増していることなどがあげられます。また松下電器産業のように、米国の企業と比べても、信用力の観点から申し分のない一流企業が増えてきたことも見逃せません。

いまのところ無担保債を発行できるのは、きわめて厳しい適債基準をクリアーできるごく限られた超優良企業のみで、「無担保債発行の定着」といえるようになるまでには、まだ少し時間がかかるかもしれません。しかし、五十九年四月にわが国企業のユーロ円債発行が認められたことにより、今後、無担保のユーロ円債の発行が増えてくれれば、国内での無担保化を促進することになるでしょう。

もともとわが国の社債が担保付きだったのかというと、そうではありません。戦前、それも昭和初期には、わが国でも無担保債が主流でした。ところが、昭和二年の金融恐慌をピークとして前後数年間に、当時の無担保債が償還不能となる例が相次ぎ、社債の信用がいちじるしく害されました。そこで社債浄化運動という運動が起きました。当時の異常事態を収め、社債の信用を回復するために行なったものです。昭和八年に日本興業銀行を中心とする金融機関が申し合わせた結果、社債は担保付きを原則とするとの合意に達し、無担保債は徐々に縮小し、今日、公募債については担保付きが主流となったわけです。

? 85

公社債の格付けとはどのようなことですか

債券の安全性を公正な第三者機関が評価するもので、米国では八十年近くの歴史があります。

債券は、安全性の高いものであるといわれていますが、絶対に安全だというものではありません。機関投資家のように多くの専門家を擁して、みずから安全性を判断できるところはいいですが、そうした能力が乏しく、専門情報を十分に得ることができない個人投資家にとって、簡単な方法で安全性を知ることができれば非常に便利でしょう。格付けは、そのような投資家のために、簡単な記号で債券の安全性を示したものです。

欧州では、ミシェラン社がホテルやレストランのよしあしを★印で評価し、旅行者に重宝がられています。★印が多いほどいいホテルという意味ですが、債券の格付けも基本的にはこれと同じことです。重要なのは第三者が評価するということでしょう。発行者や引受・受託会社などの利害関係者が安全性を強調しても、これは単純に信じるわけにはいきません。ミシェランのガイドブックが信用されているのも、ホテルやレストランとは何の利害関係もない会社が格付けしているからです。

米国では、すでにあらゆる債券についての格付けが定着しています。格付け機関としては、スタンダード・アンド・プアーズ社と、ムーディーズ・インベスターズ・サービス社の二社が代表的な存在といわれています。すでに八十年近くの歴史があり、この間には一九三〇年代に起こった大恐慌があ

り、数多くの社債がデフォルト（金利や元本を約束どおり支払えなくなること）に陥りました。しかし、両社が格付けし、〝安全である〟と評価されたもののなかからは、ほとんどデフォルトが発生しませんでした。戦後も上位に格付けした債券のなかからデフォルトは一件も起きていません。

こうした輝かしい実績が格付けに対する信用を高めたといえますが、同時に両格付け機関とも中立の第三者としての立場から、投資家に適切な情報を提供してきたことも忘れてはなりません。

わが国では起債関係者のタッチしない中立の立場から日本公社債研究所（東京都千代田区神田小川町一ノ一）が格付けを実施しています。当初は転換社債の格付けから始めましたが、投資家からの強い要請で、五十五年秋には普通社債についても試験的な格付けを開始しています。

五十七年からは、海外の政府系機関や地方自治体などがわが国で発行する円建て外債についても、依頼があれば格付けを実施しており、五十九年には中国政府が初めて発行する円建て外債の格付けも手がけています。また、五十七年一月からは、証券会社が日本公社債研究所の格付けを参考に転換社債の発行条件を決めるようになりました。そのため内外の投資家の間に、投資情報としての格付けが重要なものとして認識されるようになっています。

格付けの方法は財務・財政データの分析という数字的なものに限らず、企業ならば経営の質、経営者の能力、産業の動向、技術開発力などあらゆる側面から行ないます。記号を使い、上からＡＡＡ、ＡＡ、Ａ、ＢＢＢ……Ｄの十二ランクを用いています。トリプルＡ、ダブルＡ、シングルＡ……といった呼び方をします。格付けのうち上位四格が、投資に適する債券であるといわれています。

? 86

デフォルトとは何ですか

債券を発行した機関が、元金や利子の支払いができなくなることです。

元金・利子の支払いが不能になることや、契約を守らないことなどをデフォルトといいます。債務が履行されないという意味です。債券の場合、返済の期限など発行の際の条件を守らないと、信用は一度で消し飛んでしまいます。場合によっては、発行者は信用の社会から抹消されてしまうでしょう。単なる借入れだと、返済の期限を若干延ばしてもらうこともできるかもしれませんが、債券は不特定多数の人たちからおカネを借りるのですから、期日どおりに元金や利子を支払うことは特に大切で、厳密にいえばたとえ利子の支払いが一日遅れても、デフォルトとみなされます。

戦前にはデフォルトに陥ったケースがいくつかあります。星製薬、塩水港製糖、川崎造船所、日本製麻、後藤毛織、琴平参宮鉄道、富士身延鉄道などの社債が、大正から昭和のはじめにかけて相次いでデフォルトになっています。

デフォルト後の処理方法をみると、星製薬の場合は、大正十五年に利払い・償還不能となり、昭和七年に破産宣告を受けました。翌八年に強制和議が成立し、債権額は七九%が切り捨て、三年目から九年間で残り二一%を返済しています。日本製麻の場合は、昭和二年に満期償還が不能となり、社債権者集会が開かれた結果、三カ月間支払いを猶予し、同社が帝国製麻と合併して償還されました。ま

た富士身延鉄道は、昭和八年に利払い不能となり、社債権者集会を開いた結果、同年、六・五%の利率を五%に引き下げ、さらに十三年には四・五%に再引下げし、償還期限も大幅に延長しました。最終的には鉄道が政府に買い上げられ、交付公債で繰上げ償還されました。いずれの場合も、投資家は大きな損失を受けていることがわかります。

社債がデフォルトを起こすということは、すでに事業が行き詰まっていると考えていいわけで、その企業の株価も債券価格も、大幅に下落してしまうという状態がほとんどです。法律では、社債権者が集会をもち、そこで債権をどのように回収したらいいか協議できますし、この社債権者集会での決議事項は、社債権者の総意として債権者会議で述べられます。こうした社債権者集会の招集、決議事項の実行などは、受託銀行が行なうことになっていますが、現実問題として社債権者集会は株主総会のように定期的に開かれるものではなく、ことが起こった時にはじめて開かれるといった臨時的な性格で、現実にはいきなり開催したいといっても思うように開けないといわれています。

戦後わが国でもいくつかの社債発行企業が倒産しました。受託銀行が残存する社債を額面で買い取り、投資家が損害をこうむらずに済んだ例が多いわけですが、永大産業が欧州で発行した外債（転換社債）は、わが国企業が発行した外債としてはじめてデフォルトになりました。

?87 債券の償還はどのように行なわれるのですか

満期償還と途中償還があり、後者はさらに一部償還と全額償還に分かれます。

借りたおカネは返さなければなりません。債券の場合は、これを償還といいます。債券の発行者が投資家から債券を回収し、原則として額面価格に応じて現金を支払うことです。満期償還と途中償還（期中償還または期限前償還ともいう）があり、さらに途中償還には一部償還と全額償還、一部償還には定時償還と任意償還があります。これらを図式化すると次ページの表のようになります。

事業債を例にとりましょう。普通社債の償還期限は六年、七年、十年、十二年のものに加え六十年八月から登場した十五年物の計五種類ですが、発行した金額のすべてを、この満期日に償還するのではなく、通常は途中で少しずつ償還していきます。据置期間中は償還できませんが、これを過ぎれば定期的に残存額の七％とか九％ずつ償還していきます。このやり方が途中償還の定時償還といわれる方法です。十二年債の場合は発行後五年の据置で、六年目の利払日から毎年一回、十年債の場合は発行後三年の据置で四年目の利払日から毎年一回、七年債の場合は発行後二年の据置で、三年目の利払日から毎年二回、それぞれ一定額を償還します。

償還の具体的な方法としては、抽せん償還と買入消却の二種類があります。抽せん償還は、抽せんによって券面番号を定め強制的に償還するものです。発行会社の代理として受託銀行が行ないます。

償還する時は三十日前に受託会社に通知し、また二週間前までに新聞などで公告します。

抽せん償還は額面で行なわれますから、当選者は償還差益を早期に受け取ることができます。この結果、たとえば表面利率六・八%、発行価格九十九円五十銭、期限十年で応募者利回り六・八八四%の債券が四年目に当選すれば、その利回りは六・九五九%{(6.8+0.5÷4)÷99.5=0.06959}となります。しかし、高い利息が将来も確保できると思っていたのが打ち切られたり、売却すればかなりの売却益が出ると思っていたのが、そうでなくなったりする恐れもあります。

買入消却というのは、発行者が流通市場を通じて市場価格で買い入れて消却する方法です。この方法だと、流通価格が額面を上回っていても、その価格で償還してくれるのですから投資家の損にはなりませんが、発行者にとってはそれだけ費用がかかります。

任意償還というのは、発行者が任意に、時期、金額を決めて償還する方法です。利付金融債がこの方式を条件にして発行しています。発行サイドの一方的意思により決定される要素が強いといえるでしょう。この場合も、抽せん償還、買入消却の二つの手段が使われますが、現実にはこうした償還は行なわれていません。

このほか任意に債券の全部あるいは一部を繰上げ償還する方法もあります。社債の場合、一部償還では、三年間の据置期間を経過したあと、最初の一年間は額面百円につき百三円、以後百二・五円、百二円というようにあらかじめプレミアムをつけた価格を約束しておき、任意に償還します。四十七年に十年債が導入された時に設けられた制度で、発行の際にこのような繰上げ償還のできることがうたわれています。

償還 {途中償還 ── 一部償還 ── 定時償還
償還 {満期償還 └─ 全額償還 └─ 任意償還

償還方法の分類。

? 88

借換えとはどういうことですか

満期の償還が困難な場合、あるいは金利水準が下がった場合に借換債が発行されます。

債券は、満期にその全額を償還しなければなりません。そこで必要となるのが償還のための資金です。通常は満期前に少しずつ返済していきますが、満期時には、残額についての償還資金を用意しなければなりません。資金的に余裕がなければ、償還資金を調達する手段として、新たに債券を発行せざるをえないでしょう。これが借換えです。新たに発行する債券を借換債といっています。発行者にとっては、償還期限を延長することと同じです。この借換債の発行は事業債に限らず、国債、地方債などでもひんぱんに行なわれています。

当面、最大の問題になっているのが国債の償還です。これについて説明しましょう。現在は、前年度の年度はじめの国債総額の一・六%に相当する金額を、一般会計から国債整理特別会計に繰り入れて償還資金を積み立てる仕組みになっています。長期国債の期限は十年ですから、この積立てによって十年間に発行額の一六%に当たる金額が積み立てられることになります。そこで十年目に一六%を現金で償還し、残りについては借換債を発行して償還します。つまり、約六分の一を現金償還し、残りを借換債でまかなうわけです。建設国債の対象資産は耐用年数が六十年と考えられています。このため、六十年で償還されるよう、十年ごとに六分の一ずつ償還していく方法が採用されているのです。

「国債は実質的に六十年債となっている」といわれるのも、こうした借換制度があるためです。

五十年度から税収の落ち込みを穴埋めするため国債の大量発行が始まりました。この国債の償還が六十年度から本格化しました。これに伴い借換債の発行が急激に膨らむ見通しです。大蔵省の試算ですと、借換債の発行額は六十年度の八兆九千六百億円から、六十一年度は十兆五千百億円、六十二年度には十三兆七千百億円と年々拡大します。

この大量の借換債を市中消化しなければならないわけですから大変です。しかも、国債整理特別会計への償還資金積立ては五十七年度からストップしており、償還資金が底をつく可能性が高まっています。また、借換債の発行は公共事業などの財源にあてる建設国債だけに認められていましたが、五十九年一月に大蔵大臣の諮問機関である財政制度審議会で赤字国債の借換えも提言されました。

赤字国債は公共施設の建設などに使われる建設国債と違い、人件費など経常経費にあてられるため、法律で借換えが禁止されていました。しかし、赤字国債を今まで通り全額現金で償還すると、極端な歳出カットや増税など急激な負担増が避けられないため、赤字国債にも借換債を認めようということになったわけです。このため、借換債の発行額が大蔵省の試算以上に膨らむことは避けられそうにありません。「六十年度から国債の借換えが大問題になる」とよく言われるのはこのためです。

借換えにはこのような単なる借換えではなく、低利借換えという方法もあります。高い金利で借りていたおカネを返済し、改めて安い金利で借金する方法です。債券の場合は、既発債を繰上げ償還し、新たに安い金利で起債するわけです。発行者にとっては、金利が軽減されるので大きなメリットが生じます。

9
債券投資

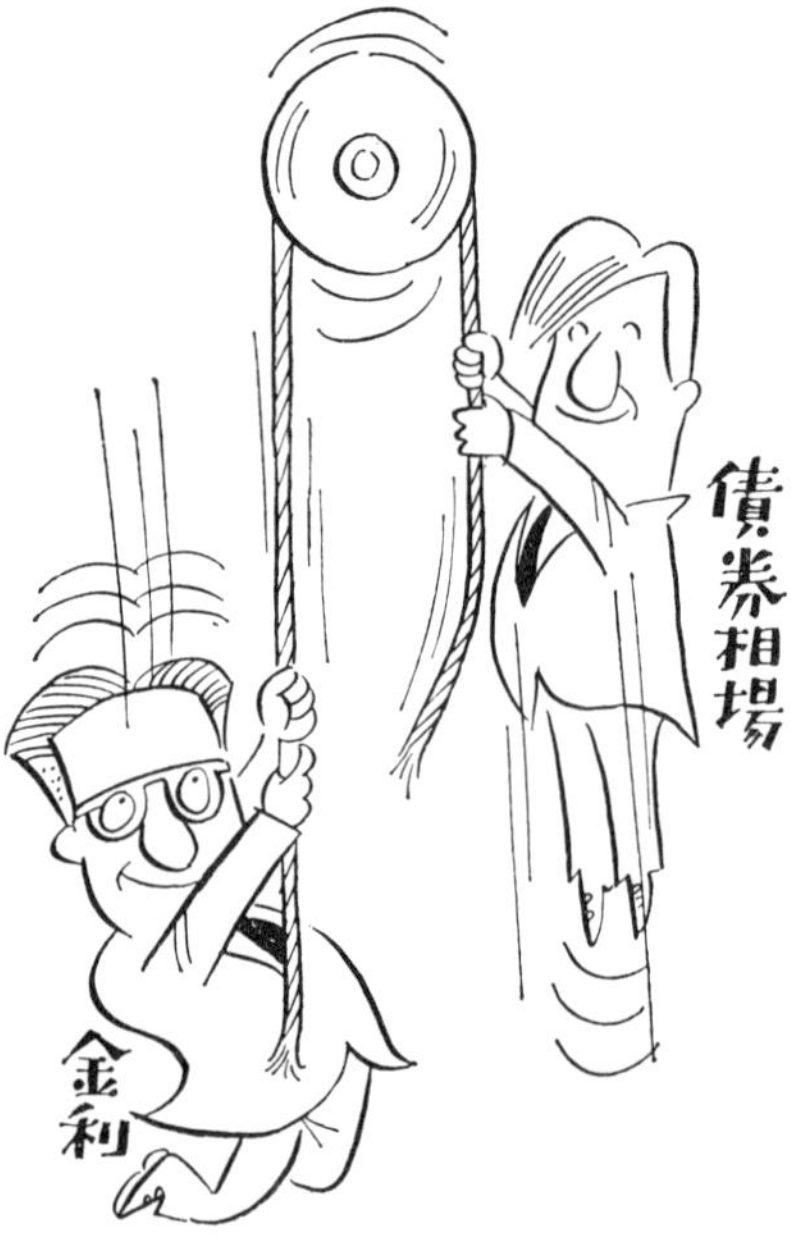

?89 債券を買うにはどうすればよいのですか

社債は証券会社だけが扱っていますが、国債、地方債、政保債は銀行の窓口でも売っています。

五十八年四月から国債、地方債、政府保証債は銀行の窓口でも買えるようになりました。公共債の大量発行のため、少しでも消化先を広げるのがねらいですが、債券の売買は本来は証券会社の仕事であり、社債を扱っているのは証券会社だけです。

債券の発行は、社債、政府保証債、地方債については、引受証券会社や受託銀行で構成されている起債会で決定されます。また国債については国債発行世話人会で決められます。起債会、国債発行世話人会は通常毎月下旬に開かれ、翌月にどの債券をどのくらい発行するかを決めます。それぞれの銘柄、発行総額、発行条件が決定され、その内容は新聞に掲載されます。証券会社の店頭にも掲示されますので、これらをみて、新しく発行される債券を知ることができます。

金融債は毎月発行され、いつでも証券会社あるいは債券発行金融機関の本支店で購入できますが、他の債券にはそれぞれ申込期日と払込期日があります。申込期日までに、証券会社の店頭で買いたい銘柄と金額を申し込みます。申込期日は二十日前後となっており、発行の内容が発表されてからかなりのゆとりがありますが、利回りの有利な債券は最終申込期日までに売り切れてしまうことがあります。払込みの期日は二十五日前後となっています。

券面の種類は債券の種類によってさまざまですが、一万円券、五万円券、十万円券、百万円券、一千万円券というようにキリのよい単位となっています。証券会社の店頭で債券の購入を申し込み、代金を払い込むと、本券が交付されます。しかし、本券が交付されるまで一週間から二カ月ぐらいの日数がかかりますので、証券会社は購入者に対し申込金領収書、あるいは証券預かり証を発行します。本券はこれらの証券と引換えに交付されます。

本券を受け取る代わりに、登録するだけで済ますこともできます。盗難や火災などの事故が発生する恐れもありますので、これを防ぐために本券をもらわずに登録機関に登録し、債券所有の権利を保全してもらうのです。登録手数料は発行者が負担します。証券会社の保護預かり制度を利用する方法もあり、手続きは保護預かり口座開設申込書に必要事項を記入し、印鑑を登録するだけです。債券の預かり証を交付してくれます。個人投資家は、この制度を利用するとよいでしょう。マル優制度を使う場合は、証券会社に保護預かりにしてあらかじめ手続きしておけば、銀行の預金口座などに利子を自動的に振り込んでくれます。預かり料は無料です。

銀行は国債など新発公共債の取り扱いを認められて以来、新しい顧客層の拡大をねらって公共債の窓販に力を入れ、五十八年度には証券会社合計を上回る実績をあげました。店舗数が証券会社よりははるかに多いことや預金と組み合わせた商品の開発などによる効果です。ただ一方で、事業会社向けの販売に走る傾向も強まり大蔵省が自粛を求める事態にもなりました。五十九年六月からは銀行の既発公共債売買が残存期間二年未満のものに限って認められ、六十年六月からは残存期間二年以上の公共債も扱えるフルディーリングがスタートし、証券会社との売買競争が続いています。

? 90

既発債の売買はどのように行なわれるのですか

証券取引所内でも売買されていますが、株式と違って大部分が店頭取引です。

既発債の売買には、証券会社に委託して証券取引所で売買してもらう委託売買と、証券会社や既発債売買業務（ディーリング）の認可を得た銀行を相手にして売買する店頭取引——の二つの方法があります。銀行のディーリングは五十九年六月に都銀、長信銀、信託、地銀（資金量上位十行）と農林中金の計三十四金融機関に認可が与えられ、その後も認可行は徐々に増えています。ただ銀行が取り扱えるのは国債、政府保証債、地方債に限られています。

債券が上場されているのは東京、大阪、名古屋の三取引所です。長期国債、加入者引受電電債は全銘柄、円建て外債はほぼ全銘柄、社債、政府保証債、金融債、地方債は代表的な銘柄、転換社債のほとんどが上場されています。しかし、転換社債を除き、債券が取引所で売買されるのはごくわずかです。株式はそのほとんどが取引所内で売買されますが、債券は逆に店頭取引が主流を占めています。

その理由としては、①債券には銘柄数が非常に多い、②個人投資家の売買はともかく、一般に売買の単位が大きく、件数も多くないため、取引所での売買になじみにくい、③取引所での売買は本券に限られるが、公社債の八割以上が登録債となっており、取引所で売買できない——などがあげられています。それに債券の流通価格には金利動向が反映されて、おのずから一定の範囲にとどまり、株式

のように突飛な価格がつくことはありません。あえて取引所に集中しなくても、公正な価格形成がなされるとみられているからです。五十九年度の総売買高は八百七十八兆円にのぼっていますが、そのうち九一％までが店頭取引によるものでした。

店頭市場では銀行や事業会社などが証券会社を相手に債券を売買しています。買いの大手として登場するのは信託銀行、農林系金融機関、投資信託です。信託銀行はビッグなどで個人から大量の資金を集めていますが、企業への貸出需要が少ないことから余裕資金をかかえており、債券投資を活発にやっています。農林系金融機関も貸し出しが低迷しているため、債券買いに向かっています。最近、買いが増えている投資信託は中期国債ファンドへの組み入れによるものです。

取引所で売買すれば、証券会社に対し委託手数料を払わなければなりません。これに対して、店頭取引には手数料がありません。証券会社の手数料に相当するものは、買入価格と売却価格との値ザヤ（スプレッド）です。店頭取引での売買価格は、その債券が上場されていれば、取引所価格が基準になります。取引所価格に手数料相当分を加減した価格と理解していいでしょう。とはいっても、債券の銘柄は縁故地方債を除いて五千近くもあります。これに比べて、東証上場銘柄は三百三十五銘柄と、あまりにも少な過ぎます。そこで、証券業協会は月曜日から金曜日までの毎日、二十三銘柄について指標気配を発表し、また木曜日には小口売買の基準となるよう二百十の銘柄を選んで標準気配を発表しています。この気配値は新聞に掲載され、価格の動向をつかめるようになっています。

? 91

現先取引とはどういうことですか

現物売り（買い）の先物買い（売り）ということで、企業や機関投資家が短期資金の運用に利用しています。

一定期間後に一定の価格で買い戻す、あるいは売り戻すことをあらかじめ約束しておいて債券を売買する取引を、現先取引といっています。商品取引に「現物売りの先物買い」とか「現物買いの先物売り」という取引があり、これになぞらえて「現先」といわれるようになったとされています。

現先取引を最もひんぱんに利用しているのは事業会社です。季節的に資金の繁閑があり、これを現先取引で運用あるいは調達します。つまり、決済資金やボーナス資金、また原材料の支払いなど、事業会社は一時的に大量の資金を必要とする時期があります。これらの資金は、前もって用意しておきますが、実際に使うまでは一時的な余裕資金として手元に残ることになります。貴重なおカネですから遊ばせておくわけにはいきません。少しでも有利に運用しなければなりません。そこでこうした資金を実際に必要とする時期に売り戻すことを約束して、一時的に債券を購入します。余裕資金を債券に代えて運用し、一定期間後に売却して資金に替えるわけです。逆に債券を保有していれば、これを買戻し条件をつけて売却し、一時的に資金を調達することもできます。

取引の開始時点での債券購入者は資金運用者、逆に売却者は資金調達者となります。証券会社を仲介して売買する「委託現先」と、証券会社を相手に売買する「自己現先」があります。売戻し条件付

きの債券購入を「買い現先」あるいは単に「現先」、買戻し条件付きの債券売却を「売り現先」、あるいは「逆現先」といっています。

買い手の目的は債券を一時的に保有することによって、余裕資金を運用することにあります。また、売り手の目的は債券を一時的に流動化させることによって、短期資金を調達することにあります。いずれにせよ、債券売買には違いありません　大蔵省も五十一年三月十日の通達で債券売買と認知しています。しかし、実質的には短期の金融取引といえるでしょう。取引の期間は自由に定めることができますが、一年以内に限られており、大半は一カ月から六カ月ぐらいとなっています。債券を保有している期間の経過利子と、あらかじめ定めておく売買価格の差額が資金運用者の収益となります。この収益の運用額に対する割合を現先レートといっています。実質的には短期の金融取引ですから、現先レートはコールや手形、ＣＤ（譲渡性預金）など他の短期金利にほぼスライドして動きます。

現先取引には通常、投資家や証券会社が保有する債券が使われますが、ＣＤが発行されるようになった五十四年五月からはＣＤが、ＴＢ（政府短期証券）が市中に売却されるようになった五十六年五月からはＴＢが、それぞれ現先市場に登場しました。ＣＤ、ＴＢとも債券と違って有価証券取引税がかかりませんので、これらを使った取引が年々ふえ、債券現先が縮小しています。また、五十九年六月からは外貨建て債券を使った現先取引も認められるようになり、広い意味での現先市場は厚みを増してきているといえます。

? 92

債券相場はどのような要因で動くのですか

需給関係、海外動向などが変動要因ですが、最近は海外金利の影響が大きくなっています。

相場の変動要因は、需給関係、海外要因、金利水準、理論価格による変動などに集約できます。

▽需給関係＝需給を左右する最も大きな要因は金融情勢です。金融が緩和されると、債券相場は上昇します。金融機関や事業会社は手元に余裕資金が発生し、その余裕資金で債券を購入しようとします。金融緩和による金利水準の低下とあいまって、債券相場を上昇（利回りは低下）させていきます。逆に金融が引き締められると、金融機関、事業会社などは必要な資金を得るために債券を売却します。それだけ供給量が増えるわけですから、債券相場は低下していきます。

▽海外金利と円相場＝国際間の資金移動が活発になったのに伴い、米国をはじめとする海外長期金利や円相場の動きが債券相場を大きく動かすようになりました。国内や海外の投資家が日本と海外の金利動向と円相場の推移をにらみながら、日本の債券を買ったり海外の債券に投資対象を切り換えたりするようになったからです。

たとえば、米国の債券相場が下落して利回りが上昇基調になると、投資家は米国の債券買いを増やし、その分だけ国内での債券購入を控えますから、国内債券相場は下落します。逆に米国の債券相場が上昇基調に転じると、国内債券相場も堅調になります。同様に、円相場が下落傾向にある時にも資

金は海外に流れやすくなり、債券相場下落の要因となります。最近は内外の金利差が円相場変動の最大の要因となり、米国の長期金利が上昇すれば円相場は下落することが多いので、この二つの要因の相乗効果で国内債券相場が揺さぶられるようになっています。

▽金利水準＝債券は金利水準によって価格が修正されます。といっても発行当初の利率が変わることはありません。ところが、償還までの長い期間には一般の金利水準は大きなうねりを伴って動きます。このため、途中で売買する時には、当初の利率が一般の金利水準に比べて割安になっていたり、逆に割高になっているという事態が生じます。表面利率は変更できませんから、売買の際に価格で利回りが調整されていくのです。公社債の平均利回りは日本経済新聞に掲載されている日経公社債インデックスで知ることができます。短期（期限三年未満）、中期（三—七年）、長期（七年以上）に分けて利回りが表示されています。

▽理論価格＝償還時に発生する償還差益・差損のために発生する債券独特の価格変動です。償還は通常、額面価格でなされ、償還差益・差損はこの償還時に発生しますから、これを調整するために償還が近づくにつれて、金利水準など他の要素がまったく変わらなくても、債券価格はしだいに額面に近づいていく習性を持っています。このような価格を理論価格といいます。

▽安全度＝株式は企業業績の良し悪しによって相場が大きく変動しますが、債券は確定利付証券ですから、業績によって動くことはほとんどありません。しかし償還、利払いが不能になると考えられるほど悪化すれば、その債券価格は暴落します。わが国の流通市場では安全性がほとんど無視されているようですが、安全度によって利回りに格差が生じることを忘れてはなりません。

？93 債券の銘柄を選ぶにはどのような見方が必要ですか

経済・金融情勢をみながら、安全性、有利性、流動性を総合的に検討することが必要です。

債券には一万近くの銘柄があり、そのなかからどの債券に投資するかを選ばなければならないのですから大変です。投資には安全性、有利性、流動性という三つの原則があるといわれます。この原則に沿って考えると「確定利付証券だから、期待した収益を確実に得ることができ、安全性は高い」「利回りは預金などと比べて高く有利である」「いざという場合には、債券を売却して現金に換えることができ、流動性も高い」――というように、債券は非常にすぐれた特性をもっているといえましょう。しかし、詳細に検討していくと、すべての債券がそうであるとは限りません。

債券は確定利付証券ですから、新発債を買ってそれを償還期日まで所有すれば、予定どおりの収益を得ることができます。しかし、この〝確定利付き〟というのは、考えようによってはなかなかやっかいなもので、債券を買ってしまえば、その後の金融情勢の変化にもかかわらず、投資家は一定の金利にしばられてしまうことになります。低い利回りで取得した場合、その後の金融情勢の変化によって他の金利水準が上がっているにもかかわらず、相変わらず低い金利収入に甘んじなければならないという事態が生じます。一定の金利を確保できるのですから〝安全〟といえるのでしょうが、これではなさけない話です。債券を売却し、他のものに乗り換えようとしても、そのような場合、債券の価

格は下落しているのがふつうで思わぬ損失をこうむります。債券は長期にわたって投資するものですから、金融情勢の変化を読みとることが必要で、その時々で最も有利な債券を選ぶにしても、金利水準の高い時は長期債、逆に低い時は短期債を買う、というように心がける必要があるでしょう。

有利性は、それぞれの利回りを比較することによって選択することができます。現在の金利体系では国債が最も低く、事業債が最も高くなっています。信用度の差で利回りに格差をつけているのです。有利性を選ぶのなら事業債が適しているといえるでしょう。債券には途中償還の制度があることも理解しておく必要があります。満期償還の前に抽せんなどの方法で強制償還される場合があります。取得価格が額面以下（アンダーパー）ならいいのですが、既発債を額面以上の価格（オーバーパー）で買った場合は損失をこうむることになります。売買のタイミングにも気をつけなくてはなりません。

	期限（年）	表面利率（%）	発行価格（円）	応募者利回り（%）
長期国債	10	6.20	98.75	6.405
中期割引国債	5	—		
政府保証債	10	6.30	98.75	6.506
地方債	10	6.30	98.75	6.506
事業債　ＡＡ格	12	6.50	98.75	6.687
〃　ＡＡ格	7	6.90	99.00	7.113
〃　Ａ格	12	6.60	98.75	6.789
〃　ＢＢ格	12	6.70	98.75	6.890
〃　Ｂ格	7	7.20	99.00	7.417
利付金融債	3	6.30	100.00	6.300
〃	5	6.10	100.00	6.100
割引金融債	1	—	95.43	4.788

公定歩合	5.00%
短期プライムレート	5.50
長期プライムレート	7.20
銀行定期預金（２年）	5.75
銀行普通預金	1.50
郵便定額貯金（３年以上）	5.75
郵便通常貯金	2.88
貸付信託配当（５年）	6.32
金銭信託配当（５年以上）	6.18

公社債の発行条件と主要金利（60年９月，割引債は課税後利回り）。

? 94

転換社債を選ぶにはどのような注意が必要ですか

利回り重視と値上がり重視の二つの型があり、転換時の株価にも注意しなければなりません。

転換社債にも、一般公募に応募して新発債を買う方法と、既発債を市場から買う方法があります。購入の方法はいずれも普通社債と原則的には変わりません。買ったあとの運用方法としては、①社債として満期まで持ち続ける、②転換社債のまま市場で売却する、③株式に転換して、その株式を持ち続ける、④株式に転換してすぐ売却する――の四つの方法があります。一定期間後、いつでも株式に転換できるのですから、そのメリットを最大限に利用することが大切でしょう。

株式に転換する時には、転換価格と株価の動向を注意深く比較しなければなりません。この転換価格は発行の際に決められますが、だいたい発行直前の一定期間における発行会社の平均株価を若干上回る値段で決められます。たとえば条件決定前の平均株価が二百円とすれば、転換価格は二百十円—二百二十円程度で決まる場合が多いようです。この差額をアップ率といいます。発行会社の業績見通しや、その会社が所属する産業の動向、あるいは株式市場の先行き等を考慮して個々に決まるので一概にはいえませんが、アップ率は五—一〇%程度に決められることが多いようです。期限は六年ないし十年、発行価格はパー（額面）発行となるのが通例です。

発行時に決まった転換価格は、たとえ株価が大幅に上昇したり下降しても変更はしませんが、一定

の条件のもとで修正されることもあります。つまり株式配当、有償割当、無償増資などで株数が増加し、株式の一株当たりの価値が低下する（専門用語ではこれを稀薄化という）時には、稀薄化を防止するために転換価格は修正されます。

株式に転換するかどうかは株価の動向をみきわめる必要がありますが、転換価格と株価との関係を表わす理論価格（パリティ）で判断することができます。これは次のような算式で求められます。

$$転換社債の理論価格=\frac{株式時価}{転換価格}\times 100（円）$$

算式からもわかるように、株価が転換価格を下回るとパリティが百円を割り、逆に株価が転換価格を上回るとパリティも百円を越えることになります。パリティが百円を大幅に下回っていても、転換社債の価格が百円を上回るケースがありますが、これは表面利率が高くて、一定水準にまで価格が上昇しても利回り（表面利率を転換社債の市場価格で割った直接利回りがよく用いられます）の面から、十分投資のソロバンがあう場合です。低金利時代に多く見受けられます。

逆にパリティが百円を大幅に上回り、転換社債も額面をはるかに超えて上昇し、直接利回りがずいぶん低くなるといった例もあります。この場合は利回りよりも株価の将来の値上がりや、あるいは株価に連動して転換社債の相場そのものが上昇するといった期待が高まっているといえます。一般的にいってこうしたパリティの動向をみながら転換するかどうかが判断されているようです。転換社債は銘柄によって、利回り重視の社債型からキャピタル・ゲイン（値上がり益）重視の株式型まで、いろいろなタイプがあり、投資の際、慎重にみきわめてから銘柄を選ぶ必要があります。

? 95

債券にはどのような税金がかかりますか

債券はそれを売る時、利子を受け取る時、償還される時に税金がかかります。

債券を保有しているだけでは税金はかかりませんが、売却する時、利子を受け取る時、あるいは償還される時、いずれの場合にも税金が課せられます。税制を知っていないと、有利だと思って債券投資をしても期待どおりの収益を得られないことがあります。貴重なおカネを運用するのですから、投資する前に税制をよく調べておく必要があるでしょう。個人の場合を中心に説明しましょう。

債券に課せられる税金は所得税、法人税、有価証券取引税の三つです。したがって、利子や償還差益を受け、所得を得た時、売却した時にはじめて課税されます。個人の場合、売却益に対して課税されることは原則としてありません。

利子に対する税金は原則として総合課税となっています。他の所得と合算して翌年三月十五日までに確定申告しなければなりません。租税特別措置法で源泉分離課税を選択することもできます。

源泉分離課税を選択した場合、受取利子に対する税率は三五%となっています。銀行あるいは証券会社から利子を受け取る際に、「源泉分離課税の選択申告書」を提出すれば、源泉徴収されます。そのあとで課税されることはありません。これに対し総合課税を選択した場合は二〇%の税率で源泉徴収されますが、そのあとで受取利子を給与所得などその他の所得と合算して確定申告し、源泉徴収さ

れた税金を調整することになります。

優遇措置としてはマル優制度（少額貯蓄非課税制度）があります。貯蓄を奨励する目的で設けられているもので、国内に住所のある人は誰でも利用できます。この制度を利用すれば、各種の貯蓄を合計して額面三百万円までの利子は無税となります。「非課税貯蓄申告書」と「非課税貯蓄申込書」を、債券を購入する際に証券会社などに提出しなければなりません。国債と地方債については、このマル優制度とは別に特別マル優制度（少額国債等利子非課税制度）があり、合計して額面三百万円までの利子は無税となります。したがって、両制度を利用すれば六百万円まで非課税扱いにすることができます。ただ、両制度の対象となる債券は公募債に限られ、また発行後五年以内のものに限られます。

利子・配当所得の総合課税移行をめざして「グリーンカード制」が実施される予定でしたが、これは見送りとなり、六十一年から本人確認など非課税限度額管理が強化されます。

割引債の償還差益は雑所得とされ、すべて発行時に源泉徴収されます。税率は一六％です。償還差益は利子所得でないためマル優制度の適用がないかわり、一六％の源泉税だけで課税関係は終りになります。

有価証券取引税は、債券を売却する時に課せられる税金です。税率は譲渡価格の一万分の四・五で、証券会社を譲渡人とする場合は一万分の一・五です。国債については従来どおり譲渡価格の一万分の三（対証券会社は一万分の一）です。

？96

ゼロ・クーポン債とはどういうものですか

割引方式で発行されるクーポン（利札）のないドル建て債券です。

一九八一年四月に米国の証券会社J・C・ペニーが初めて割引方式で社債を発行し、ゼロ・クーポン債第一号となりました。予想以上に投資家の人気を集め、その後、主として米国企業がユーロ市場や米国市場で活発に発行しはじめました。

日本の投資家も一九八一年末ごろからゼロ・クーポン債を購入するようになり、八二年二月には月間の販売額が七億八千万ドル（約千八百億円）にものぼりました。

当時、わが国ではグリーンカード制（少額貯蓄カード）の実施が検討されており、ゼロ・クーポン債は税金逃れの商品として投資家の注目を集めるようになりました。

こうした異常な人気をよんだため、大蔵省は「ゼロ・クーポン債投資による資本の急速な流出が円安を招く」として、八二年三月から国内販売を禁止しました。その後、販売が解禁される八三年二月までの約一年間、日本の投資家はゼロ・クーポン債を購入することができませんでした。販売解禁から現在に至るまで、ゼロ・クーポン債は大蔵省の販売規制を受けながらも人気は根強いものがあります。では、ゼロ・クーポン債の商品としての特徴は何でしょうか。

第一の特徴は、利回りが高いことです。現在わが国では五十銘柄近くのゼロ・クーポン債が販売さ

れていますが、平均すると期間十年で複利の利回りは一〇～一一％程度です。国内で発行されている長期国債（期間十年）の応募者利回りは六％台ですから、約四％の差があります。とはいっても、ゼロ・クーポン債はあくまでもドル建て債です。償還時に円に替える際、為替相場が大きく変動していて期待していた利回りが得られないということもありえます。そこで購入する際に、償還時の円相場と利回りの関係をよく検討することが大切です。

銘　　柄	フレディーマック債（米国連邦住宅金融公庫債）
発 行 日	1984年8月17日
償 還 日	1992年6月23日
額　　面	10万ドル
買付単価	100ドルにつき39.875ドル
買付時為替	1ドル＝242.25円
複利利回り	12.42％

〈償還時の為替レートと利回り〉

為替（円）	160	180	200	220	240
複利（％）	6.64	8.25	9.71	11.05	12.29

ゼロ・クーポン債の購入例。

国内の割引債と異なり源泉徴収税がないうえ、償還前に売れば売却益に税金がかからないので、マル優枠などを使い切った高額貯蓄者を中心に節税商品として人気を呼んだ面もありましたが、六十一年一月からは売却益に対し課税されることになりました。すでに購入している分を含め他の所得と合計して所得税をかける総合課税が適用されます。

ゼロ・クーポン債は、債券相場や為替相場によっては途中売却で損をすることもあり、売却時の市場動向に注意する必要があります。さらに米国の民間企業が無担保で発行している割引債が多いことから、発行企業が倒産すれば投資した資本が無に帰す危険性もないとはいえません。その意味では、発行企業の業績や財務内容について十分に検討しておくことが大切です。

? 97 債券の価格、利回りはどのように計算するのですか

表面利率、売買価格、満期償還か途中償還か、などによって利回りはそれぞれ違ってきます。

債券は利回りを基準にして売買されます。債券を満期償還まで保有しているのと、途中で売却するのとでは利回りは違ってきますし、場合によっては税金も考慮しなければなりません。かつては債券はワインや出生証明書のように長く保管すべきものであるといわれました。しかし、最近では債券の流通市場が発達するにつれて、積極的に売買する投資家が増えています。このような投資家にとっては、所有期間の利回りをみることが重要となり、所有期間利回りという概念が重要になってきました。満期を待たず、途中償還される場合も、最終利回りは大きく違ってきます。整理すれば別表のようになります。これを使って実際に計算してみましょう。

▽表面利率七・三％の長期国債を応募取得し、二年後に九十九円で売却した場合の所有期間利回り。発行条件＝利率七・三％、発行価格九十七円七十五銭、期限十年。{7.3＋(99－97.75)÷2}÷97.75＝0.0810741で、この場合の所有期間利回りは八・一〇七％となります。

▽表面利率八・八％、価格百一円で取得した事業債の最終利回り。残存期間は九年八カ月。{8.8＋(100－101)÷9.67}÷101＝0.08610で、この場合の最終利回りは八・六一〇％となります。

▽表面利率九・五％の事業債を百十円五十銭で取得し、一年六カ月後に百三円で売却した場合の所

	国債			地方債	公社・公団債		金融債		事業債	円建て外債
	短期	中期割引	長期		割引電電	利付き	割引	利付き		
価格計算	1	3	5	5	3	5	1	5	5	5
利回り計算	2	4	6	6	4	6	2	6	6	6

式1 $P=\dfrac{F}{1+\dfrac{i\times D}{100\times100}}$　　式2 $i=\dfrac{F-P}{D\times P}\times100\times100$

式3 $P=\dfrac{F}{\left(1\times\dfrac{r}{100}\right)^{r}}$　　式4 $r=\left\{\left(\dfrac{F}{P}\right)^{\frac{1}{Y}}-1\right\}\times100$

式5 $P=\dfrac{F+R\times Y}{1+\dfrac{r\times Y}{100}}$　　式6 $r=\dfrac{R+(F-P)/Y}{P}\times100$

F＝償還・売却価格(円)　P＝単価(円)　R＝表面利率(%)　r＝利回り(%)
i＝利回り(日歩銭)　Y＝残存・所有年数(年)　D＝残存・所有日数(日)

有期間利回り。{9.5+(103−110.50)÷1.5}÷110.50=0.040723で、この場合の所有期間利回りは四・〇七二%となります。

▽八・八%の事業債を九十九円五十銭で応募取得し、三年後に抽せん償還された場合の利回り。{8.8+(100−99.50)÷3}÷99.5=0.090117 で、所有期間利回りは九・〇一一%となります。

▽八・八%の金融債を利回り八・五五%で買った場合の単価。残存期間は四年と二百十九日（四・六年）とすると、(100+8.8×4.6)÷{1+(8.55×4.6)÷100}=100.825 で、単価は百円八十二銭となります。

▽応募者利回り六・九三九%の中期割引国債(期限五年、発行価格七十一円五十銭)の税引き後最終利回り。税率一六%。$\left(\dfrac{100}{71.5+(100-71.5)\times0.16}\right)^{\frac{1}{5}}-1=0.05625$で、課税後の最終利回りは五・六二五%となります。

？98 外国の債券を買うにはどうすればよいのですか

一般の投資家が取得できる外債には制限がありますが、証券会社で扱っています。

日本で発行された外債（円建て外債）は、国内債と同じようにして取得することができます。では、外国で発行された外債はどのようにして買うのでしょうか。国内の金利に比べドルなどの海外金利が高いことから、外国の債券を取得したいという希望もかなり出ています。どのような手続きをとればよいのでしょう。

都市銀行、長期信用銀行、信託銀行、地方銀行、また生命保険、損害保険会社などは、「外国証券業者に関する法律」に基づいて指定を受ければ、どのような外国の債券も買うことが認められています。その他の投資家が取得できる債券は限られていて、ニューヨーク、ロンドン、フランクフルトなど二十六市場に上場されている債券、また上場が予定されている債券、取引所に株・債券を上場している発行者の非上場債券で気配相場のあるものに限られています。

外国債券に投資する場合、まず窓口となる証券会社に「外国証券取引口座設定約諾書」を提出しなければなりません。売買や利子・償還金の受取などはすべてこの口座を通して行ないます。口座管理料として年間三千円を支払わなければなりません。売買の注文を出せば、証券会社は直ちにテレックスで海外に流します。国によって時差はありますが、翌日には約定することができます。受渡日は約

定日から起算して四日目、その際の為替レートは、約定日の東京為替市場の受渡期日予定レートで、銀行間レートの十銭から三十銭高となっています。手数料は、現地分については価格に織り込まれますが、このほかに外国証券取次手数料を金額に応じて支払うことになります。

税金は、すべて総合課税で徴収され、国内債のように源泉分離課税制度、またマル優制度などの特典はありません。日本と租税条約を結んでいる国の債券については、原則として一〇％の税率で源泉徴収され、これを確定申告時に調整することになります。

先に述べたように、二十六の取引場で売買できますが、実際にはニューヨーク、ロンドン、フランクフルト、ルクセンブルクなどの市場が投資対象となっているようです。特に米国は、公社債の発行残高が多く、債券の種類も豊富なことから、魅力的な市場となっています。国債をみても、期間三カ月から一年のＴＢ（財務省証券）、ノートと呼ばれる一―十年の中期債、十一―三十年の長期債があるといった具合です。

しかし、外国債券に投資する場合は金利差だけでなく、為替相場の動向にも注意しなければなりません。内外の金利差、為替相場の変動を利用して大きな利益を上げることもできますが、これにはきわめて専門的な知識が必要です。また、売買の最低単位は米国の場合、原則として財務省証券は一万ドル以上、国債が一千―一万ドル以上、事業債は千ドル以上となっていますが、実際には五十万―百万ドルが平均的な売買単位となっているようです。売買単位からみても、外国債券に投資できる投資家は実際問題として非常に限られてくるでしょう。

？99 債券をなくしたり盗まれたりした場合はどうすればよいのですか

裁判所に公示催告の申立を行ない、除権判決が得られれば再交付されます。

まず、発行会社または取扱い証券会社に届け出ることが必要です。この手続きによって元利金支払い場所において元利金の支払いを留保してもらうことになります。その一方で、元利金支払い店所在の簡易裁判所に対し、公示催告の申立てを行ないます。公示催告制度というのは、当該証券の所在が不明であるので「当該証券を所持しているものがいたら、一定期日までに届け出ることと、もしその届出がない場合は当該証券を無効にする」旨の公示を行なってもらう制度のことです。

申立には、①公示催告申立書、②喪失届、③喪失届証明書または上申書、④債券発行証明書下付願、⑤債券発行証明書、⑥目録、⑦売買証明書、⑧印鑑証明書――などが必要です。喪失届出証明書は盗難、紛遺失の場合は警察署、火災の場合は消防署、天災の場合は市町村役場に届け出て交付してもらいます。債券発行証明書下付願は発行者に提出する書類です。

申立を受理した裁判所は、公示催告期限を決定し、これを官報などで公示します。公示催告期限は最低六カ月です。この期間に他の者から届出がなければ、その債券が無効であるという除権判決がなされ、代わりの債券の交付を受けることができます。しかし、債券の届出があれば催告は中止され、その債券の帰属をめぐって民事訴訟が行なわれることになります。

いずれにせよ、ずいぶんめんどうな手続きと時間がかかります。事故にあったのが本券ではなく利札であった場合、費用がかかる割には救済される額は少なく、かえって損する場合があります。また、国債にはこのような公示催告制度はありません。承認払いという特別な制度を利用しなければなりません。国債は紙幣と同じようにもっている人に絶対の権利が与えられているからです。事故にあわないように注意しなければならないことがよくわかります。

事故を避けるために登録制度や保護預かり制度が利用されています。登録制度というのは、「社債等登録法」あるいは「国債に関する法律」に基づき、指定された金融機関に債券を登録する制度です。登録すれば、登録機関の登録簿に権利内容が記載され、登録済証が交付されます。債券の代わりに登録済証を所有することになります。流通の面では不便もあるのですが、安全性はぐっと高くなります。これに対し保護預かりというのは、債券を証券会社に保管してもらう制度で、保護預かり口座開設申込書に必要な事項を記載するだけで簡単に利用できます。このような制度を利用することにより事故を未然に防ぐ必要があります。

最後に、債券の消滅時効について説明しておきましょう。支払い期日の到来した債券の元本または利子を相当の期間、受取にいかない時は消滅時効といって、支払い請求権が失われます。社債の元利金請求権の時効は商法三百十六条で元金は十年、利子は五年と定められており、国債についても「国債に関する法律」で元金十年、利子五年と規定されています。金融債については元金のみ五年の時効延長が認められているので、元金の時効は十五年となります。

? 100

債券の先物取引とは何ですか

将来の約束の日時に、債券の受渡しと代金の決済をする売買のことです。

先物取引とは、将来の一定時期に受渡しをする商品の価格と数量をいま決めておく取引のことです。例えば、三カ月後に金地金を仕入れなければならない宝飾品メーカーが、いま一グラム＝二千六百円で先物の買い契約を結んでおけば、三カ月後に金相場が三千円に上昇していても、二千六百円の金を手に入れることができます。天候次第で収穫が大きく動く農産物や価格変動の激しい非鉄・貴金属など、主に商品市場で発達してきましたが、最近では債券や為替などの「金融商品」が人気を集めています。わが国でも東京証券取引所が六十年十月十九日から長期国債の先物取引を始めました。

先物取引の特徴は、実際に現物を受渡しして決済する場合が少なく、途中で転売や買戻しを行なって清算できる点にあります。例えば、前出の宝飾業者が二千六百円で十キロの金を先物で買い、三カ月後の決済期限まで持っていれば、総代金二千六百万円を支払って金を手に入れることになります。しかし、何かの都合でその金が不要になれば途中で転売してもいいのです。仮にその時の金相場が三千円なら差額四百円、十キロで四百万円の利益が手に入ります。逆に値下がりしていれば、損になるわけです。このように売買金額の差額分を現金で決済することを「差金決済」と呼んでいます。差金で決済できるので、売買に参加する時は実物の金を持っている必要はありません。

もうひとつの特徴は、売買総代金に比べて少ない資金で取引に参加できることです。東証の債券先物取引の場合、売買単位が一億円なのに対して、売買に参加するための担保金（委託証拠金）は最低六百万円ですみます。原則は額面金額の三%が証拠金ですので、三百万円で一億円の債券を売買できるわけで、これを先物取引の「テコの効果」（レバレッジ効果）と呼んでいます。

このように少ない資金で売買に参加できるのは、総代金が本当に必要になるのは現物を受渡しする時だけだからです。差金決済するならば、買った価格と転売した価格の差額、売った価格と買戻した価格の差額があればいいわけで、総代金をいちいちやり取りする必要はありません。

そこで取引所は毎日の価格変動につれてすでに成立している買い契約、売り契約がいくらプラスになり、マイナスになったかを計算して、マイナスの場合は証拠金で穴埋めします。その金額が不足すれば、追加証拠金を徴収します。この取引所の毎日の価格調整を「値洗い」といいます。

先物取引は投機的な魅力に富む売買ですが、実際にその商品を扱っている業者にとってもリスク回避（ヘッジ）の有効な手段となります。例えば、債券を持っている企業が先物市場に売りつないでおきます。債券が値下がりしても、先物市場での買戻し差益が手に入り、手持ち債券の損をカバーできます。逆に値上がりすると、先物市場では損ですが、手持ち債券の価格が上昇するので損は出ません。

債券の先物取引は米国のシカゴ商品取引所が一九七五年から始め、いまでは財務省長期債券（Tボンド）の取引が全米の先物商品のなかでも一位を占めるなど、活況を呈しています。日本でも国債の大量発行に伴い、価格変動のリスクをヘッジする必要があり、東京を国際金融資本市場として育成するねらいもあって、債券先物取引の拡大が期待されています。

ま　行

や　行

ら・わ行

な　行

は　行

た　行

索　　引

さ　行

索　引（質問番号による）

あ　行

か　行

証券100問100答〈改定4版〉

編者　日本経済新聞社

昭和52年11月21日　1版1刷
昭和59年10月1日　4版1刷
昭和61年10月13日　　4刷

発行者　前　田　哲　司
発行所　日本経済新聞社
東京都千代田区大手町1-9-5（郵便番号100）
電話(03)270-0251　振替　東京3-555
印刷　東光整版印刷　製本　トキワ製本所
ISBN4-532-08225-0